D1215797

El último mundo burgués

FIN DE SIGLO

El milenio que está por terminar vio nacer y expandirse las lenguas modernas de Occidente y las literaturas que han explorado las posibilidades expresivas, cognoscitivas e imaginativas de esas lenguas [. . .] el futuro de la literatura consiste en saber que hay cosas que sólo la literatura, con sus medios específicos, puede dar.

Ítalo Calvino.

Nadine Gordimer

El último mundo burgués

VERSAL

Consejo Nacional
para la
Cultura y las Artes

EL ÚLTIMO MUNDO BURGUÉS

Título original en inglés: *The Late Burgeois World*

Traducción: Jordi Fibla

Diseño de la maqueta de la colección
Fin de Siglo: Carlos Bernal G.

© 1966, Nadine Gordimer

© 1987, Ediciones Versal, S.A.
        Pl. Lesseps, 33 entresueelo
        08023 Barcelona
        Teléfono (93) 217 20 54

© 1990, Editorial Patria, S.A. de C.V.
        bajo el Sello de Ediciones Versal, S.A.
        San Lorenzo 160, Col. Cerro de la Estrella,
        México, D.F. CP 09860

Primera edición en la Colección Fin de Siglo

Coedición: Dirección General de Publicaciones del Consejo
           Nacional para la Cultura y las Artes/
           Editorial Patria, S.A. de C.V

ISBN 84-86311-74-8 (Edición española)
ISBN 968-29-2737-4 (Edición mexicana)

IMPRESO EN MÉXICO

Tengo posibilidades, desde luego, pero ¿bajo qué piedra se encuentran?

Franz Kafka

La locura de los valientes es la sabiduría de la vida.

Maxim Gorki

ABRÍ el telegrama y dije: «Ha muerto...», y al mirar a Graham Mill vi en su expresión que sabía a quién me refería antes de que se lo dijera. Había visto a Max, mi primer marido, en algunas ocasiones y, desde luego, lo sabía todo de él, pues me había ayudado para que pudiera visitarle cuando estaba en la cárcel.

—¿Cómo ha sido? —inquirió en su tono neutro, profesional, tendiendo la mano para que le diera el telegrama.

—¡Se ha suicidado! —exclamé, y sólo entonces le entregué el papel.

El texto decía: ENCONTRADO MAX AHOGADO EN COCHE HUNDIDO PUERTO CIUDAD DEL CABO. Lo había enviado un amigo en cuya casa probablemente se había alojado. Yo no tenía noticias de Max desde hacía más de un año, y ni siquiera se había acordado del cumpleaños de Bobo el mes pasado.

—No dice cuándo ha sido —observó Graham.

—Debió de ser anoche o a primera hora de esta mañana. —Me di cuenta de que mi tono frío y enojado ponía nervioso a Graham, quien asintió lentamente mientras desviaba la vista—. De lo contrario habría salido en el periódico de la mañana. Creo que no miré las últimas noticias...

El periódico estaba sobre la mesa, junto al servicio del desayuno, las tazas semillenas, nuestros cigarrillos consumiéndose en los platillos. Los sábados no tengo que ir al trabajo y, como de costumbre, Graham se había presentado para compartir conmigo el tardío desayuno. Siempre nos dividimos el periódico, como cualquier matrimonio veterano, y la página que contenía la columna de cierre descansaba contra el tarro de miel. Había una mancha viscosa sobre las últimas clasificaciones de un torneo internacional de golf: eso era todo.

—Quisiera saber por qué lo ha hecho —dijo Graham, sin levantar la vista del telegrama.

Aquél no era un final imprevisible para Max; Graham se refería al motivo concreto que lo había ocasionado.

Sentí una inmensa irritación que me cubría como un sudor frío.

—¡Ha sido por mí!

Después de ir a la puerta para recoger el telegrama, no había vuelto a sentarme y seguía en pie como paralizada por un insulto. Graham soportó pacientemente mi enojo. Sin embargo, aunque debía de saber que yo me refería a que Max lo había hecho «para fastidiarme», vi en su rostro la sorprendente certidumbre de una acusación a mí misma que yo no había formulado, una culpabilidad que, bien sabe Dios, él tenía el convencimiento de que no era mía. Pero el muy condenado había decidido a propósito interpretarme mal.

Es un hombre muy práctico, y fue el primero que pensó en Bobo.

—¿Qué hacemos con el chico? No querrás que lea la noticia en el periódico de la tarde. ¿Quieres que vaya a buscarle a la escuela y se lo diga?

Siempre se refiere a Bobo como «el chico», expresión indicadora de una preocupación formal por la san-

10

tidad de la infancia que me resulta divertida. Pero le dije que no, que iría yo misma. Al fin y al cabo, «el chico» es mío. Tal vez de un modo inconsciente —seamos justos con él—, Graham trataba de arrogarse la responsabilidad del niño como una manera de crear una especie de seguridad en su relación conmigo. No en vano tiene mentalidad de abogado. Si Bobo empieza a considerar a cualquier hombre con el que trabo amistad como un padre, sería embarazoso que la amistad decayera.

—Toma un poco más de café. —Graham llenó mi taza y dio unas palmaditas a la silla, invitándome a tomar asiento, pero lo bebí en pie.

Era como si me hubiera peleado —¿pero con quién?— y esperase que mi contrario dijera lo que sería correcto —¿pero quién?—

—Tendré que ir esta mañana. Por la tarde he de ver a la abuela.

Él sabe que no visito regularmente a la vieja dama.

—Podrías ir mañana.

—No, hoy es su cumpleaños, no puedo dejarlo para mañana.

Graham me dirigió una sonrisa comprensiva.

—¿Qué edad tiene?

—Ochenta y tantos.

Sabía exactamente lo que decía el telegrama, pero volví a leerlo antes de estrujarlo y arrojarlo a la bandeja del desayuno.

Mientras me bañaba y vestía, Graham estaba sentado al sol, junto a las puertas abiertas del balcón, leyendo el periódico con la atención que nunca se le presta en la mesa. Cuando deambulaba de un lado a otro podía verle: sus largas piernas enfundadas en unos pantalones de tela basta y fuerte, con la raya difuminada en las rodillas, la chaqueta de *tweed* que se ponía los fines de semana y una vieja camisa limpia, la man-

11

díbula marcada por una arruga y los ojos hundidos detrás de las gafas, ojos de un hombre que trabaja hasta bien entrada la noche. Graham tiene una boca alargada cuyos labios, con el perfil claramente definido por un cambio en la textura de la piel, como el canto acordonado de una moneda, tienen un extraño color azulado. Bajo las luces de la sala de justicia, con el caprichoso atuendo del abogado que interviene en los tribunales superiores, su rostro se reduce a las gafas de montura gruesa y la boca.

Cuando ya estaba lista para irme, él se levantó, dispuesto a salir también del piso.

—¿Dejarás a la abuela con tiempo suficiente para tomar una copa en casa de los Schroeder? Mañana se marchan a Europa.

—No lo creo.

—¿Y esta noche? ¿Te gustaría cenar en alguna parte?

—No, imposible —le dije—. Tengo que asistir a una puñetera cena. No puedo.

A sus cuarenta y seis años, ya no es un niño, así que cogió sus cigarrillos y las llaves del coche sin enfurruñarse. Pero cuando salíamos del piso, fui yo quien le dijo:

—¿Podrías hacerme un favor? ¿Te sería posible pasar por una floristería y pedir que envíen unas flores a la vieja? Las tiendas ya estarán cerradas cuando vuelva de la escuela.

Él asintió sin sonreír y anotó la dirección con su caligrafía menuda y bonita.

La carretera que conduce a la escuela abandona los cerros de Johannesburgo y pronto avanza en línea recta a través de los maizales y la planicie de la alta estepa. Comenzaba el invierno y era una de esas mañanas sin

12

el menor soplo de viento, sosegadas y con la luminosidad ininterrumpida de la luz solar que da a los árboles un aspecto negro en contraste con la hierba pálida. De la escarcha nocturna no quedaba más que el aroma fresco. Aquí y allá se alzaba un viejo lentisco, donde en otro tiempo debió de haber una granja, eucaliptos con retorcidos jirones de corteza, acacias de innumerables ramitas, los muros de barro de una cabaña abandonada, una tienda india, un sauce amarillento junto a una grieta en la tierra.

Todo era exactamente como en mi infancia, cuando Max era también un niño; la misma mañana a la que había despertado, a la que había salido una y otra vez. ¿Cómo era posible que pudiera seguir allí, exactamente igual, con el sol, la hierba pálida, el aire diáfano, la sensación de aquel ámbito tal como era cuando no teníamos la menor noción de lo que realmente existía en su interior? Después de todo lo que nos había ocurrido, ¿cómo podía seguir existiendo aquella mañana en la que aún no había sucedido nada? El tiempo es cambio, y medimos su paso por la cantidad de cosas que sufren alteración. Dentro de esta determinada latitud espacial, que es intemporal, un meridiano solar es idéntico a otro, cambiábamos nuestra perniciosa inocencia por lo que nos acontecía; si hubiera ido a vivir a algún otro lugar del mundo, nunca habría sabido que esta mañana concreta —fenómeno de posición geográfica, precipitación anual de lluvia, presiones atmosféricas— continúa, siempre seguirá existiendo.

Max creció ante esta estepa. Sus padres tenían una granja —lo que los agentes inmobiliarios llaman una finca rural— en las afueras de la ciudad. Su padre fue miembro del Parlamento, y solían dar allí grandes recepciones del partido. Criaban perros perdigueros y patos... porque quedaba bien, solía decir Max. Pero me contó que, de niño, regresaba de sus juegos solitarios en la estepa y, en un momento determinado, oía de repente los graznidos distantes de los patos como una conversación que no podía entender.

Supongo que estas reflexiones eran mi forma de pensar en la muerte de Max, porque el hecho de esa muerte, incluso la manera en que se produjo, era algo que me habían contado, algo a lo que mi yo actual decía en voz queda: naturalmente. Max se había lanzado al mar dentro de un coche y se había hundido con él, del mismo modo que, en cierta ocasión, había quemado las ropas de su padre y... sí, lo mismo que cuando, tres años atrás, había intentado volar una oficina de correos. Esta vez yo no estuve allí para verlo, eso es todo. ¿Es que no terminará nunca este juego infantil entre Max y yo? Eso fue lo que me produjo una cólera fría cuando llegó el telegrama; la sensación de que él miraba por encima del hombro de la muerte para ver... ¿si yo estaba mirando?

Quizá me halagaba a mí misma (era un terrible halago, un bálsamo que quemaba como hielo) y ahora había alguien más en cuyos ojos se veía —amiga, mujer—, pero no importaba, porque yo sabía, al leer el telegrama, que lo había hecho por mí. Las frases trilladas del fracaso humano, «todo había terminado», «estaba deshecho», habían adquirido una nueva vitalidad de significado literal entre Max y yo, habíamos pasado realmente por todas las posibilidades que permiten la supervivencia del vínculo, desgastándolas todas hasta dejarlas raídas, hasta que ya no contenían rastro alguno de comunicación, sino que eran como un puño que golpea el aire. Y en cuanto a lo de que estaba deshecho..., las sucesivas imágenes en las que yo..., nosotros... nos habíamos visto juntos se habían astillado hasta quedar reducidas a cristal en polvo, como los fragmentos de vidrio, residuo de alguna colisión, que me hacían dar un rodeo para evitarlos en la carretera. Pero, desde los restos, Max accionaría de un puntapié el botón que hace valer la identidad de los muertos.

Entonces se disipó mi enojo. Me gusta ir siempre al volante, pues eso me devuelve algo de la autarquía infantil y, además, tenía la curiosa libertad de una pausa en la rutina. Max había muerto y ese hecho no despertaba en mí ningún sentimiento concreto, excepto que lo creía. Sin embargo, esa certeza dividía la mañana entre antes de que leyera el telegrama y después de haberlo hecho, y esa ruptura me dejaba en libertad. Claro que puedo hacer lo que me venga en gana los sábados por la mañana, pero desde hacía semanas me limitaba a recibir a Graham para desayunar juntos, lavarme la cabeza y quizá ir de compras a las tiendas de la periferia. Incluso una cosa tan irregular (en todos los sentidos de la palabra) como esta relación entre Graham y yo ha adquirido una especie de pauta; salimos juntos los días de fiesta, pero no dormimos juntos con frecuencia en casa... y, sin embargo, esta improvisación se ha convertido en un «arreglo», y hasta mis veladas en bares y clubs con personas de las que él nunca ha oído hablar forman parte del hábito.

Tampoco es frecuente para mí tener ocasión de ver a Bobo en sábado, pues sólo le permiten salir dos veces al mes, en domingo, y la escuela no fomenta las visitas de los padres entre esas ocasiones. Me di cuenta de que no le había comprado nada. Tal vez podría llevármelo e invitarle a té y pastas de crema en el hotel que había cerca de la escuela. En cualquier caso, soy la única persona para quien regalar cosas a Bobo es necesario. Puedo verlo en su rostro cuando vacío ansiosa mis bolsas de manzanas y los paquetes de golosinas. Sé que ésa es mi manera de compensarle por haberle enviado a una escuela semejante, pero tenía que hacerlo; he de ocultar mis motivos, dejando que den por sentado que quería tenerle alejado, pues lo cierto es que, si me lo permitiera, me aferraría a Bobo, podría tenerle pegado a mi vientre como esas hembras de mandril que llevan a sus pequeños aferrados bajo su cuerpo, y nunca lo soltaría.

No puedo darle esa vida con los elementos indispensables, una madre, un padre, una familia, que me enseñaron era una obligación sagrada para con todo niño que pudiera «traer al mundo». Ni siquiera estoy segura de que, si pudiera ofrecérsela, fuera suficiente. Yo tuve esa vida, igual que Max, y, sin embargo, todavía no parece habernos ofrecido lo que luego ha resultado que necesitábamos en realidad. Sí, ya sé que es muy fácil culpar a los padres de nuestros problemas y que pertenecemos a una generación que deposita sus cargas en Freud del mismo modo que nuestros padres eran exhortados a depositar las suyas en Jesús, pero no creo que el código de la vida familiar decorosa, la amabilidad con los perros y los vecinos, las limosnas a los criados agradecidos, nos haya proporcionado mucho más que perplejidad. ¿Qué decir de todos aquellos desconocidos a los que el código no tenía en cuenta, los hombres que no se consideraban nuestros criados y no tenían nada que agradecer porque les persuadieran a aceptar limosnas, las personas que no eran vecinos y que nos acosaban con unas penalidades y un hambre que la amabilidad no podía apaciguar? No sé qué le pedirán a Bobo cuando sea adulto, pero estoy segura de que ese ambiente que a mí me imbuyeron como el que un niño debería esperar le dejaría bastante impotente. Sólo puedo hacer lo posible para procurar que él busque su seguridad en otros lugares que no sean los barrios blancos.

No fue engendrado ahí, gracias a Dios, sino en un automóvil, que es donde se lleva a cabo la actividad sexual de los barrios blancos. Pero, por lo menos, ocurrió fuera de la ciudad, en la estepa. Fue uno de los millones de bebés engendrados en coches, plantaciones, parques

16

o callejones en todo el mundo. Porque en los barrios blancos, mientras se dicen tonterías románticas sobre «los jóvenes» entre las flores y las botellas de licor de las salas de estar, se ignora el sexo, la necesidad que define a la juventud. Hay dormitorios, estudios, cuartos de trabajo, porches, pero ningún lugar para eso.

—Te has olvidado —le dije a Max. Él se encogió de hombros sombríamente, como si nunca lo hubiera prometido. Pero yo sabía que aquel desliz era tanto «culpa» mía como suya.

Luego Max, hablando sin ninguna relación con las circunstancias, como solía hacer, me dijo:

—Quisiera tener un hijo propio, un niño que me siguiera a todas partes. Un pequeño no es en absoluto como un perrito. Un niño grita: «¡Mira!» continuamente, y ves toda clase de cosas reales, colores y piedras y fragmentos de madera.

La última vez que vio a Bobo fue hace más de un año. Observé que le gustaba más que cuando era chiquitín y berreaba; me complació que pudiera bromear con él y olvidar que él gritaba a su vez hasta que el niño se quedaba mudo de miedo y yo tenía que llevármelo y andar con él por las calles.

Antes de llegar a la escuela vi uno de esos camiones que venden fruta al lado de la carretera, y un negro que estaba agachado junto a una pequeña fogata encendida por él mismo se incorporó de un salto y empezó a hacer cabriolas con una naranja clavada en un palo. Compré unas naranjas para Bobo.

La escuela tiene unos terrenos muy extensos, con un pequeño embalse y una plantación de eucaliptos. Ése fue uno de los motivos por los que la elegí: así el niño estaría en un lugar que por lo menos le daría la sensación de naturaleza, donde podría alejarse de los patios y corredores. Me resulta difícil recordar lo que sentía de niña, pero sé que tener un sitio así era esencial.

Los edificios (y los postes de la entrada con un arco de hierro que ostenta el blasón de la escuela y el nombre en letras de estilo céltico) son de ladrillo amarillo y brotan en forma de cruces, sobresaliendo como puntos del alfabeto Braille en todo el lugar. La visión de la escuela me deprime e intimida un poco, y desde el momento en que cruzo la puerta de la verja ando mentalmente de puntillas. En los terrenos hay siempre negros enfundados en limpios monos de faena, podando los setos para que formen ángulos rectos perfectos y cavando alrededor de los cuadros de flores y los arbustos recortados. Esta vez barrían las hojas caídas. Unos indicadores de hojalata en forma de mano con el dedo índice extendido y pintados con la caligrafía céltica de la esposa del director, señalaban «Aparcamiento de visitantes», «Sólo personal», «Oficina»... Toda la curva del camino que conducía al edificio principal estaba vacía, pero, con la servil ansiedad que se apodera de mí por hacer las cosas bien, dejé el coche en el aparcamiento de visitantes. Eran las once, más o menos, y los gritos de los chicos a la hora del recreo surgían de los patios y campos de juego que estaban detrás de los edificios. Sé que mi visión de ese lugar es absurdamente subjetiva, pero ¡se parecía tanto a una prisión! Tras los limpios y feos ladrillos se alzaba un gran grito de vida que se diluía en el vacío iluminado por el sol. Subí los escalones pulimentados y accioné la pesada aldaba en la gran puerta engrasada.

Me abrió un joven que debía de ser un profesor nuevo, de fuerte mandíbula y buen aspecto, con las manos grandes y algo temblorosas, poderosas pero impotentes, del joven que atraviesa la etapa de intenso deseo hacia las mujeres sin saber cómo aproximarse a ninguna. Llevaba unos pantalones de pernera estrecha, raídos y elegantes, y corbata de punto, y era con toda evidencia uno de esos graduados de Oxford o Cambridge que trabajan durante una temporada en África y en los que se confía para que aporten una saludable ráfaga de actualidad al plan de estudios. (Bobo me ha hablado de uno que tocaba la guitarra y enseñaba a los chicos canciones populares americanas contra las bombas y la segregación.)

El director estaba tomando el té en la sala de personal, pero el joven me acompañó al despacho y me dijo que tomara asiento mientras iba en su busca. He estado en ese despacho varias veces: es de una pulcritud hostil, las paredes con fotos de equipos atléticos cruzados de brazos, el suelo de plástico marrón brillante cubierto por una alfombra del mismo color, con esa concesión estereotipada a la comodidad que se encuentra en las habitaciones de los administradores de instituciones. Incluso había una caricatura enmarcada del director, recortada de la revista de la escuela. Todo el mundo hablaba de lo «accesible» y «humano» que era aquel hombre.

Llegó el director y dijo que estaba encantado de verme, como si una pudiera presentarse en la escuela a cualquier hora, en vez de acatar el severo aviso sobre la conveniencia de no aparecer por allí fuera de los días de visita prescritos, y aunque debía de saber que yo tenía algo grave que comunicar, su voz rápida y gangosa emitió una serie de trivialidades que nos tuvo a los dos en suspenso durante un rato. Pero sin duda el pobre hombre teme los problemas de los padres y ése es un mecanismo inconsciente para impedir su recitado. Le dije que el padre de Bobo había muerto, y de qué manera. Él se mostró comprensivo y sensible, de acuerdo con el manual de conducta apropiada para semejante ocasión, pero en la pátina de atención artificial que cubría su rostro podía ver de manera inequívoca su distanciamiento de las personas como nosotros. Conocía las circunstancias familiares de Bobo, el divorcio,

19

la prisión por motivos políticos... y ahora esto. Lo conocía de pe a pa, como un hombre de anchas miras y buen cristiano; supongo que sigue en los periódicos el examen de conciencia de la Iglesia acerca de la homosexualidad o el aborto. Él y la señora Jellings, que enseña arte en la escuela, deben de llevar por lo menos veinticinco años de matrimonio, y el año pasado su hija se casó con un guardia de honor, alumno de último curso.

El director se levantó, abrió la puerta y detuvo a un muchacho que pasaba por el corredor:

—¡Braithwaite! Dígale a Bruce Van Den Sandt que venga, ¿quiere? ¿Le conoce? Está en cuarto.

—Sí, señor, conozco a Van Den Sandt, señor, creo que está de turno en la biblioteca.

Y el muchacho se deslizó con una celeridad que hizo aparecer automáticamente un surco entre las cejas del director.

Bruce Van Den Sandt. Casi nunca oigo pronunciar su nombre. Éste es el otro Bobo, al que nunca conoceré. Sin embargo, siempre me complace oírlo; es una persona por derecho propio, completa, evocada en aquellas palabras, que eran el apellido de Max. Y Max ha muerto, pero, como una palabra transmitida, su nombre sonaba ahora en el corredor de la escuela.

—Venga por aquí —dijo el director—. Supongo que querrá hablarle a solas. Eso será lo mejor.

Abrió una puerta que había visto antes, pero nunca cruzado, con la indicación «Sala de visitas». Por cobardía perdí la ocasión de decirle: «Me gustaría llevarme al chico y hablar con él por el camino.» ¿Por qué soy tan estúpidamente tímida ante esa clase de personas, mientras al mismo tiempo critico tanto sus limitaciones?

Me senté en aquella sala y aguardé bastante rato antes de que la puerta se abriera y Bobo apareciese en el umbral. Sin duda le habían hecho abandonar algún juego, pues tenía las orejas enrojecidas, la nariz aleteante, las manos prestas a recoger la pelota y la ropa desordenada, y su sonrisa se confundía con una mueca de pasmo. La elevada nota de su energía, al igual que cierta altura musical, habría podido hacer añicos el jarrón vacío y el cristal de los grabados con escenas de El Cabo.

—¡Nadie me dijo que ibas a venir, mamá!

Me abrazó y nos reímos, como hacemos siempre, con el júbilo de estar juntos, ajenos a la escuela y a todo lo demás.

—¿Cómo has entrado?

No había pensado qué iba a decirle a Bobo, y ahora era demasiado tarde. Le cogí la mano y, apretándosela una o dos veces, para que estuviera bien atento, le dije:

—Tenemos que hablar, Bo. Se trata de Max, tu padre.

Me cazó en seguida, como si él fuera el adulto y yo la niña. Comprendió que cuando me refería a Max no le daba más nombre que ése, «Max». Él era muy pequeño cuando su padre fue sometido a juicio y encarcelado, pero hace ya mucho tiempo, cuando creció lo suficiente, se lo conté todo. Movió la cabeza con un curioso gesto de aceptación. Sabe que la posibilidad de que surjan contratiempos siempre está ahí.

Nos sentamos en el pequeño y horrendo canapé, como amantes que se sientan uno frente al otro para hacer una declaración en una ilustración victoriana. Se subió los calcetines.

—Jelly me ha dicho: «Súbete los calcetines, que ha venido tu madre...».

—Ha muerto, Bobo. He recibido un telegrama esta mañana. Saldrá en los periódicos, así que debo decírtelo... Se ha matado.

—¿Quieres decir que se ha suicidado?

El asombro suavizó y ensanchó sus facciones, y el rubor abandonó su rostro con excepción de dos retazos irregulares, como arañazos de algún animal, en la parte inferior de las mejillas. En aquel momento debió de percibir la realidad de todas las cosas sobre las que había leído y que sucedían a otras personas, la X dibujada en el suelo, indicando el lugar donde había caído el cuerpo, la flecha señalando la figura borrosa en el balcón.

—Sí —respondí, y para no prolongar el impacto de la noticia, para confinarla en una explicación definitiva, añadí—: Debió de arrojarse al mar en su coche. Nunca tuvo miedo al mar, se sentía en él a sus anchas.

Bobo asintió, pero no desvió la mirada de mí, cejijunto, sumido en una profunda concentración. ¿A qué se enfrentaba? ¿Al hecho de su propia muerte? Bobo y yo no teníamos que fingir que la muerte de Max nos afligía de una manera personal. Si uno no ha tenido padre, ¿puede perderlo? Bobo apenas le conocía, y aunque yo no se lo había explicado, no había podido hacerlo, sabe que yo al final había dejado de conocer a Max.

—La verdad es que no puedo recordar su cara —dijo Bobo.

—Pero no hace tanto tiempo que le viste; sólo año y medio.

—Lo sé, pero entonces apenas recordaba su aspecto, y le miraba como miras a una persona nueva. Luego ya no te acuerdas de su cara.

—Sin embargo, tienes una fotografía.

Tenía en su armario el portafotos con la madre a un lado y el padre al otro, igual que todos los demás chicos.

—Sí, claro.

Parecía como si no tuviéramos nada más que decirnos, por lo menos no en aquel momento ni en aquella sala.

—Te he traído unas naranjas. No me he acordado de comprarte algo en la ciudad.

—Hummm, gracias —dijo él distraídamente, con la expresión de placer que es su manera de mostrar una afectuosa cortesía—, pero no las .cogeré ahora... Lo haré antes de que te vayas, y así, después de despedirnos, podré guardarlas en mi escritorio antes de que nadie las vea. —Entonces propuso—: Vamos a dar una vuelta.

—Pero ¿nos lo permiten? Quería preguntarle a la señora Jellings...

—Vamos, mamá, ¿a qué viene tanto miedo? ¡No sé cómo te las arreglarías en este caserón!

Cuando cerrábamos la puerta de la sala de visitas, le dije:

—Es la primera vez que hemos estado ahí dentro.

—Eso es para los padres que vienen de muy lejos, aunque la verdad es que no sé para qué sirve..., por el tufillo que se respira, ya se ve que nunca entra nadie.

Lo del «tufillo» me hizo sonreír. Bobo ya lo domina todo; el lugar carece de horrores para él.

Paseamos por el jardín delantero, bien cuidado, apartados de los demás muchachos. Íbamos de arriba abajo, hablando de trivialidades, como visitantes en el jardín de un hospital a los que alivia dejar al paciente durante un rato. Bo me dijo que me había escrito para pedirme unas botas de fútbol nuevas y preguntarme si estaba de acuerdo en que Lopert fuese a casa con él el próximo domingo. Yo había recibido una circular de la escuela sobre unas clases de boxeo, y quería saber si Bo estaba interesado. Entonces fuimos a sentarnos en el coche, y él bromeó:

—¿Por qué no lo dejas aparcado en la ciudad y vienes caminando, mamá?

Como la mayoría de los chicos, Bobo tiene con respecto a los coches una sensación parecida a la de lugar, y cuando sube al vehículo me doy cuenta de que se siente casi como si estuviera en casa. Husmea todos los papeles viejos acumulados en el estante debajo del salpicadero y busca caramelos de menta y multas de tráfico en la guantera. A menudo me pide explicaciones.

Estaba sentado junto a mí, tocando un botón flojo, tal vez diciéndose mentalmente que debía arreglarlo alguna vez.

—Supongo que no ha sido doloroso para ti —dijo de pronto.

—Oh, no, no debes preocuparte por eso.

Durante toda su vida ha sido consciente de la necesidad de reconocer y aliviar el sufrimiento; es la única cosa que le ha sido ofrecida como algo que está fuera de duda, desde la primera vez que presenció el atropello de un gatito y que vio a un mendigo callejero mostrando sus llagas.

—Es sólo la idea... —Tenía la cabeza gacha, y la volvió hacia mí sin levantarla, mirándome de soslayo; supe muy bien que en realidad le intrigaba el territorio desconocido de la vida adulta en el que uno podía elegir la muerte, pero no me sentía con fuerzas para abordar ese tema. Balbuceó—: Ahora siento no haberle querido.

Le miré abiertamente, sin emitir ninguna disculpa. Sólo hay una cosa que espero con toda mi alma no hacer jamás, y es persuadirle con excusas para que acepte algo.

—Puede que los chicos hablen... pero ya sabes que Max fue en busca de cosas justas, aunque quizá lo hiciera de un modo equivocado. Lo que intentó no tuvo éxito, pero por lo menos no se limitó a comer, dormir y darse por satisfecho con su pequeño mundo personal. No podía conformarse a no hacer nada para tratar de cambiar lo que estaba mal. Aunque fracasara, eso es mejor que no hacer ningún intento. Ciertos... —iba a decir «padres», pero no quería que atacara a todos los vástagos de los negocios de bolsa—... ciertos hombres viven con éxito en el mundo tal como está, pero ni siquiera tienen el valor de fracasar en el intento de cambiarlo.

Bobo parecía satisfecho. Después de todo, es sólo un chiquillo. Exhaló un ronco suspiro.

—Hemos tenido muchos problemas por culpa de la política, ¿verdad?

—Mira, no podemos culpar de esto a la política. Es cierto que Max lo pasó muy mal a consecuencia de sus opiniones políticas, pero no creo que esto, lo que ha hecho ahora, sea un resultado directo de algo político. Quiero decir que... Max estaba en un lío, no podía controlar lo que le ocurría, debido en gran parte a sus acciones políticas, desde luego, pero también a que..., en general, no estaba a la altura de las exigencias que él mismo se imponía. —Añadí sin convicción—: Es como si te empeñaras en jugar en primera división cuando sólo eres bueno para tercera.

Mientras me escuchaba, la cabeza de Bobo se movía ligeramente, como impulsada por la corriente de las palabras del adulto, del modo en que a veces se mueven las plantas bajo un soplo de aire que no percibimos.

Al final tiene que aceptar a ojos cerrados lo que le dicen, y su única elección posible es la de quién se lo dice. Me elige a mí, y en ocasiones me inquieta ver con qué escepticismo informa de lo que le dicen otros. Pero la reacción llegará con la adolescencia, si he de creer lo que me han dicho que es un «desarrollo saludable». Entonces me derribará, pero ¿con qué? Desde luego me gustaría averiguarlo astutamente, para poder defenderme por anticipado, pero una generación nunca puede conocer las armas de la siguiente. Me cogió la mano y la besó rápidamente en el dorso, cerca del pulgar, como acostumbraba a hacer de súbito, sin ningún motivo que yo conociera, cuando era pequeño. Han debido de transcurrir cinco años desde que dejó de hacerlo, porque le turba o porque no siente esa necesidad. Pero allí, dentro del coche, nadie podía verle.

—¿Qué vas a hacer hoy? ¿Vendrá Graham?

—No lo creo, porque ya le he visto esta mañana. Hemos desayunado juntos.

—Espero que Jellings mande rezar por Max esta noche. Normalmente, cuando muere un familiar, rezan por él.

Así que aquella noche habría un servicio por el alma de Max en la capilla de la escuela. Sería el único; no era probable que aquellos para quienes había trabajado, y a los que traicionó, rezaran por él. Max no fue el héroe de nadie, pero ¿quién sabe? Cuando fabricó una bomba de dudosa eficacia lo hizo para ayudar a la liberación de los negros, y cuando se convirtió en un testigo del Estado, supongo que los blancos lo tomaron como una justificación para considerarle de los suyos. Puede que incluso haya sido la clase de héroe que debemos esperar.

He observado que Bobo siempre percibe cuándo estoy a punto de irme. Me preguntó si le dejaba dar una vuelta con el coche, y no me atreví a sugerirle que podría encontrarse en un aprieto si alguien le veía, sino que me deslicé obedientemente al asiento del pasajero, mientras él bajaba y rodeaba el vehículo para sentarse al volante. Dio una vuelta al solar del aparcamiento.

—Bueno, ya es suficiente, baja —le dije.

Él se echó a reír, hizo una mueca y pisó el freno.

—Entonces nos veremos el domingo. ¿Así que vendrás con..., cómo se llama?

—Lopert.

—Creo que no le conozco, ¿verdad? ¿Y Weldon?

¿No quiere venir también? —Weldon es otro de los chicos que vive demasiado lejos para ir a casa el domingo. Durante todo el curso anterior, Bobo lo trajo al piso.

—Creo que irá a casa de los Pargiter.

—¿Acaso os habéis peleado?

—No, pero siempre habla mal de los negros, y cuando estamos sudados después de los partidos de fútbol dice que olemos como cafres. Entonces, cuando me harto, cree que es porque me ofende oírle decir que soy como un cafre..., no puede comprender que no se trata de eso y no puedo soportar que les llame cafres y hable de ellos como si fueran los únicos que huelen. Mi reacción sólo le hace reír. Casi todos los chicos son así. Llegas a apreciarlos de veras, y entonces dicen esas cosas y tienes que aguantarlo. —Me miraba con el ceño fruncido, la expresión estoica, consternada, buscando una respuesta pero ya con la certeza de que no hay ninguna—. A veces desearía que fuéramos como otras personas.

—¿Qué personas? —le pregunté.

—Esas a las que no les importa nada.

—Lo sé. —Llegamos ante los anodinos edificios escolares e intercambiamos el beso en la mejilla socialmente sancionado y que se espera entre madres e hijos.

—Hasta el domingo.

—No te retrases. No te duermas, como haces siempre.

—¡Jamás!... ¡Las naranjas!

Dio media vuelta para recoger la bolsa de papel que le tendía a través de la ventanilla, y le vi correr por el sendero con el bulto bajo la chaqueta cruzada y abrochada, los pies raudos y los cabellos de punta. Sentí, como me ocurre a veces, una confianza irracional en Bobo. Tiene buenos sentimientos y siempre los tendrá. A pesar de todo.

Desde una distancia considerable, el ruido de la ciudad en sábado era como el de una concha gigantesca aplicada a mi oído. Mi distracción me había hecho efectuar un giro erróneo en el camino de regreso, y me acercaba a la ciudad por una carretera que atravesaba una de las zonas industriales nuevas que hacen rico al país... o, mejor, más rico. En los jardines de la fábrica que los producía había muchos tractores de orugas alineados como estatuas. A lo largo de unos dos kilómetros tuve que avanzar lentamente detrás de un camión enorme que transportaba sacos de carbón y al equipo habitual de descargadores, más negros todavía a causa del reluciente polvo de carbón, agrupados alrededor de un brasero encendido para protegerse de la velocidad del vehículo. Siempre dan la impresión de alguna alegre escena del infierno, y parece no preocuparles la proximidad del depósito de combustible. Luego, al llegar a las inmediaciones de la ciudad, me encontré con otro camión delante, cargado con muebles de «época» cuidadosamente acolchados, a los que se aferraban unos negros sin que les preocupara la precariedad de su posición; también les importaba un bledo. Uno de ellos, un joven con una gorra de golf bajada hasta los ojos, se sujetaba con una mano y usaba la otra para hacer gestos obscenos a las muchachas negras, quienes se reían o le hacían caso omiso, pero no parecían ofendidas. Sin embargo, cuando vio mi sonrisa, su mirada pareció atravesarme como si no estuviera allí en absoluto.

En un supermercado de las afueras hice un alto para comprar cigarrillos y algunas cosas en la charcutería. Tomé un café en un establecimiento que tenía mesas en la acera entre tiestos con plantas tropicales atacadas por la helada. Ya era casi la hora de cierre de los comercios, y el lugar estaba lleno de mujeres jóvenes con pantalones caros y botas, mujeres de edad con trajes elegantes y pieles recién sacadas de los armarios, hombres con el atuendo informal de los directores de empresa en los fines de semana y niños exigentes que lamían helados. Una mujer que había en la mesa a la que también yo me sentaba decía:

—...He hecho una pequeña lista..., mira, en primer lugar, no tiene pitillera de plata... y la necesita de veras, para las salidas nocturnas, cuando va a las fiestas.

¿Y cuando baja al fondo del mar? ¿Necesitará ahí una pitillera de plata?

Aquella mujer era exactamente como la madre de Max, tan rosada y blanca como la buena dieta y los cosméticos podían hacerla, su capacidad de reír había tallado finas líneas que estriaban su piel alrededor de sus bonitos ojos azules, y movía con ademanes de confianza los dedos provistos de uñas rosadas. Tenía incluso el aspecto de viuda de la señora Van Den Sandt, que lucía tanto en el gran cuadro al pastel colgado sobre la chimenea en el saloncito amarillo. ¡Cómo me impresionó la primera vez que Max me llevó a la granja, cuando yo tenía diecisiete años! Era encantadora, y yo no sabía que la vida cotidiana pudiera ser tan bonita y agradable. Los armarios estaban perfumados y los baños tenían alfombras mullidas y altos frascos de aceites y colonias que todo el mundo podía usar. «Sí —había dicho Max—, mi madre pone en todo una cubierta adornada: el asiento del water, su mente...» Podías hacer que te plancharan la ropa o tocar el timbre para que te trajeran un zumo de naranja fresco, té o café cuando te viniera en gana. Había criados con uniformes blancos almidonados y fajas rojas, a los que la señora Van Den Sandt hablaba en xhosa, y un cocinero mestizo de El Cabo al que hablaba en afrikaans, utilizando todos los diminutivos lisonjeros y los términos de respeto propios de la jerga de El Cabo.

—Conozco a esta gente como si perteneciera a su pueblo —solía decir cuando los invitados decían que le envidiaban su excelente servicio—. Crecí entre ellos, y todavía puedo recordar que los nativos recorrían muchos kilómetros para visitar a mi madre. Había un viejo, de quien se decía que había sido un cacique de Sandile, el jefe gaika, que acudía regularmente una vez al mes. Se sentaba bajo el árbol *ysterhout* y mi madre le servía personalmente una taza de café. Lo recuerdo con toda claridad.

La madre de Max descendía de una antigua familia holandesa de El Cabo, mezclada con personas de habla inglesa, y había servido en diversas embajadas sudafricanas en Europa. Aunque su conversación rápida y ligera estaba salpicada con los términos de afecto que estaban de moda entre las mujeres inglesas de su generación, mantenía aquí y allí una ligera entonación afrikaans, como una *diseuse* francesa que se ha expresado durante años en inglés pone cuidado para no perder por completo la peculiar distinción de su acento. La gente también la encontraba encantadora cuando negaba, con orgullo ingenuo y juguetón, su aspecto de oriunda de un «condado» inglés —los suéteres y las perlas— diciendo vigorosa y sencillamente:

31

—Mire, soy una bóer; de vez en cuando tengo que salir y ensuciarme los pies entre los maizales.

El padre de Max, a pesar del nombre flamenco, procedía de una familia inglesa que emigró a Sudáfrica cuando empezaron a funcionar las minas de oro. Era un hombre de baja estatura, el rostro grande, rojizo, brillante, como si se lo hubiera dejado secar al sol sin usar primero la toalla, el cabello reluciente, echado hacia atrás y pegado rígidamente al cuero cabelludo, y un hoyo en el mentón. Tenía el don de mostrarse especialmente amistoso con las personas que le disgustaban o a las que temía y, con uno de sus cortos brazos sobre el hombro de un rival político a cada lado, daba rienda suelta a la risa que le producía la misma anécdota que estaba contando.

Incluso la primera vez que fui a la casa había gente. Siempre daban fiestas o veladas de bridge, reuniones de gente a las que era necesario agasajar, más que amigos, o reuniones que finalizaban con las bebidas y los bocadillos que introducían Jonas y Alfred, con sus fajas rojas, en la sala donde flotaba el humo espeso de los cigarros. Más tarde, cuando visité la casa con regularidad, la señora Van Den Sandt abandonaba en ocasiones la reunión de gente que charlaba, bebía y comía, para acercarse a nosotros:

—¡Los niños, los niños! Venid a comer un poco.

Pero después de que nos hubiéramos abierto paso entre los traseros enfundados en negros vestidos de cóctel y las barrigas cubiertas por telas de rayas finas, y nos hubieran presentado a algunas personas aquí y allá («Sin duda conoces a Max, mi hijo. Y ésta es la pequeña Elizabeth... Come algo, Max, cariño..., no cuidas de esta chica, está pálida...») nos olvidaba. La charla sobre acciones y obligaciones, el mercado de valores, el cabildeo para apoyar los proyectos de ley que tendrían el efecto de bajar o elevar el interés bancario, del que dependían sus inversiones, las leyes industriales que necesitaban para obtener mano de obra barata, o el reparto de la tierra, del que dependían para conservar la mejor parte... Todo esto se mezclaba en una densa cháchara al margen de la cual nosotros terminábamos nuestros platos de pollo *en gêlée* y tomábamos en silencio el vino blanco frío. Max había crecido en aquel silencio; la cháchara era quizá lo que oía en la distante conversación de los patos, cuando se acercaba a la granja, caminando solitario por la estepa.

Digo que los Van Den Sandt «eran» esto o aquello, pero, naturalmente, son. En algún lugar de la ciudad, mientras yo tomaba café, la señora Van Den Sandt, con su bolso lleno, como el de la señora que estaba sentada a mi lado, de juguetes para adultos —el llavero mascota, el pequeño lápiz dorado, el cuaderno de direcciones con las cubiertas de punto de tapicería, la cajita de orfebrería para guardar las píldoras— se enteraba de que Max había muerto... de nuevo. Su hijo murió para ellos el día que le detuvieron bajo la acusación de sabotaje. Theo Van Den Sandt renunció a su escaño en el Parlamento y nunca acudió al Palacio de Justicia, aunque financió la defensa de Max. Ella se presentó varias veces. Nos sentábamos allí, en el lado reservado a los blancos de la galería para el público, pero no juntas. Un día, cuando acababa de salir de la peluquería, se puso una elegante mantilla de encaje en lugar de un sombrero, que le habría revuelto el peinado. Sus zapatos y guantes armonizaban a la perfección, y vi con fascinación que una parte de su mente atendería a esas cosas mientras viviera, al margen de lo que sucediese. Siguió sentada con rigidez en el duro banco, las pestañas embadurnadas de rímel bajadas hasta tocar casi las mejillas, y ni una sola vez miró a su alrededor, ni a los demás presentes en el lado de los blancos, esposas, madres y amigos de los acusados blancos (no sólo acusaron a Max sino también a sus cómplices), con nuestros paquetes de comida que nos permitían traerles a diario para su almuerzo, ni tampoco miró a su izquierda, al otro lado de la barrera, donde unos ancianos negros con abrigos hechos jirones y algunas mujeres con sus bultos permanecían sentados, pacientes, como muelles enrollados.

En el intermedio, cuando todos salíamos a los resonantes corredores del Palacio de Justicia, olía su perfume. La gente que deambulaba conversando, formando grupos que se obstruían entre sí, nos había aproximado sin querer. La sorpresa de encontrarnos de súbito frente a frente, después de años de silencio entre nosotras, la dejó boquiabierta.

—¡Qué hemos hecho para merecer esto! —exclamó.

Bajo los ojos y de los labios al mentón había líneas profundas, los trallazos del combate de una belleza con la edad. No sé por qué se me ocurrió en aquel momento, pero le dije:

—Acuérdese de cuando quemó las ropas de su padre.

La gente se deslizaba a nuestro alrededor, nos empujaban.

—¿Qué? Todos los niños hacen cosas así. Eso no tuvo importancia.

—Lo hizo porque tenía problemas en la escuela, e intentó hablar de ello con su padre durante días, pero su padre estaba demasiado ocupado.

Su boca pintada se contorsionó en una mueca de incredulidad.

—¿De qué estás hablando?

—No, no se acuerda, pero sí debe de acordarse de que era la época en que su marido llevaba a cabo sus planes tortuosos para meterse en el gobierno, la época en que era pescador en río revuelto y estaba tan ocupado.

Me excitaba el mismo aborrecimiento que me pro-

34

ducía aquella compasión de sí misma, el olor de su rancidez en mi nariz. ¡Ah, las damas blancas bañadas, perfumadas y depiladas, en cuyas matrices está sepultada la santidad de la raza blanca! ¿Qué mejunje de almizcle y pétalos hervidos puede disimular las cosas sucias hechas en nombre de esa santidad? Max cargó con aquella suciedad, se embreó y emplumó con ella, y la mujer se quejó por su respetabilidad martirizada. Quería herirla, ¿es que nada podría hacerle daño? Me volvió la espalda como se hace con alguien de quien es inútil esperar nada.

Y no obstante, al principio, los Van Den Sandt me consideraron como una aliada, no personalmente, sino porque constituía un interés «normal» para un muchacho que no tenía muchos. Si su Max no ingresaba en el club de campo o cumplía con su papel como miembro de las Juventudes del Partido Unido, por lo menos había encontrado una «chiquita». Eso de «chiquita» servía para indicar mi posición social, no mi talla. Yo era hija de un tendero de una pequeña población, mientras que el padre de Max no sólo había ocupado un escaño en el Gobierno de Smuts, sino que además era director de varias empresas, desde fábricas de tabaco a plantas de envasado·de plástico. Como es lógico, cuando Max era estudiante no le tomaban muy en serio, y consideraban lo que sabían de sus actividades en la política estudiantil, junto con su significativa ausencia en las cenas y sus ropas raídas como un período transitorio de bohemia juvenil. No sé si llegaron a enterarse de que era miembro de una célula comunista, probablemente no. Para ellos todo aquello era un juego, un baile de disfraces como aquellos a los que ellos asistían en los años treinta. Pronto dejaría de lado el disfraz, se pondría un traje, ingresaría en una de las empresas de su padre, invertiría en el mercado de valores y construiría un bonito hogar para la muchacha con la que se casaría.

No tenían idea de que pasaba el tiempo con estudiantes africanos e indios que le llevaban a lugares en los que nunca había estado, a las reservas y los guetos, y le presentaban a hombres que, aunque trabajaban como conductores, empleados de limpieza y obreros de los blancos, habían formulado sus propias opiniones sobre su destino y tenían sus ideas de lo que debían hacer para lograrlo. Nada de esto existía para los Van Den Sandt; cuando la madre hablaba de «nosotros los sudafricanos», se refería a los blancos afrikaans y de habla inglesa, y cuando Theo Van Den Sandt pedía «una Sudáfrica unida, en marcha hacia una era de progreso y prosperidad para todos», pensaba en la unidad de esos dos mismos grupos de blancos, salarios más altos y mejores coches para ellos. En cuanto al resto, los diez u once millones de «nativos», su trabajo estaba dirigido mediante diversas leyes que no tenían ningún interés fuera del Parlamento, y sus vidas eran una consecuencia de su trabajo, dado que hasta la llegada del hombre blanco no conocían nada mejor que una choza de barro en la estepa. Algunos habían logrado hacerse con una educación, uno o dos individuos sobresalientes a los que dejaban entrar en la universidad junto con su propio hijo, y la señora Van Den Sandt pensaba que era «maravilloso cómo algunos consiguen superarse si hacen el esfuerzo»; pero en su mente ese «esfuerzo» no se relacionaba con una habitación cochambrosa en un barrio segregado, donde el hijo de otros estudiaba a la luz de un cabo de vela, aplastando con el pulgar (siempre recuerdo esta descripción de sus días estudiantiles que nos hizo un amigo) los bichos que salían de sus grietas.

Los Van Den Sandt debieron de confiar en mí para que condujera a Max cogido del pene, por así decirlo, hacia la vida para la que había nacido, y supongo que por este motivo su madre aceptó con una refinada tolerancia, al contrario que mis propios padres, el hecho de que me quedara embarazada a los dieciocho años. «No es más que un error, eso es todo», dijo como si tratara de calmar a un bebé, como si un cachorro se hubiera hecho pipí en la alfombra. Y cuando Max y yo nos casamos, me miraba con burlona censura; un día que fuimos a comer a su casa, enarcó las cejas, sonrió y dijo:

—¡Fíjate en esa barriguita! Pronto empezarán a echar cuentas todos los carcamales... ¡pero nos importan un bledo!

La expresión de Max cambió y, sin saludar a su madre, salió de la sala. Le encontré en su antiguo dormitorio.

—Si a mí no me molesta, ¿por qué ha de fastidiarte a ti?

Pero lo que para mí era un incidente estúpido, para él era la implacable persistencia de una conducta social que le había empequeñecido afectuosamente durante toda su vida. Sólo un hombre puede engendrar un hijo, pero aquella mujer se las arreglaba para que aquello pasara por algo «inteligente» y «travieso» que habían hecho los niños.

Mientras estaba embarazada, en 1952, se inició la Campaña de Desafío. Max pertenecía a un grupo de blancos que se internaron en una zona africana prohibida a los blancos, y también fue a Durban para acampar con africanos e indios en una plaza pública, en protesta contra la segregación. Naturalmente, la idea consistía en hacer que los arrestaran e ir a la cárcel. Pero retiraron las acusaciones contra Max, y aunque nunca descubrimos por qué, siempre estuvo convencido de que había sido cosa de su padre. De ser cierto, le habrían hecho a Max algo terrible, pero, desde luego, no lo hicieron por Max sino por ellos mismos. Habría sido inconveniente que un miembro importante del Parlamento, perteneciente al Partido Unido, tuviera un hijo encarcelado por desafiar las leyes segregacionistas, aunque por aquel tiempo los nacionalistas llevaran cinco años en el poder y Van Den Sandt hubiera perdido para siempre su oportunidad de llegar a ministro. Si Max no actuaba como un hombre blanco en favor de los de su raza, los Van Den Sandt no le dejarían actuar en absoluto. Eso es lo que querían hacerle. Y entonces llegó el momento en que fabricó una bomba.

Los buenos ciudadanos que jamás tenían duda alguna sobre el lado en que estaba su fidelidad acumulaban a mi alrededor sus compras del fin de semana. El sol de invierno, estable, cálido, agradablemente benigno (quizá no podemos evitar la sensación de que si gozamos del mejor clima del mundo es porque lo debemos de merecer), arrancaba destellos de las botellas de vino y whisky, las gambas, los pasteles y los ramos de flores, clara evidencia del superior nivel de vida de la civilización blanca, que se llevaban a casa. Les veía dar monedas a sus niños para introducirlas en las huchas del SPCA y echarlas al gorro del mendigo negro. Las bombas de fabricación casera no habían agitado el suelo bajo sus pies, como tampoco los alborotos, las marchas, los tiroteos de pocos años atrás, aunque, como todas las personas decentes, deploran la inhumanidad de la violencia y, reservándose para ellos solos el derecho a la acción constitucional, la recomiendan a otros como la única manera decente de conseguir el cambio..., si es que uno desea tal cosa.

También yo tenía mi paquete de filetes de cerdo y mi silla al sol, y no me distinguía en nada de los demás. Todos estamos vivos todavía y los coches se arrastran con impaciencia unos detrás de otros, mientras que Max está en el mar, en apuros, en el fondo del mar;

pobre loco: supongo que ahora podrá decirse eso, como al final ha podido decirse satisfactoriamente de muchos cuya torpeza ha quedado probada, incluido aquel que desconocía que un primer ministro con una misión divina podría necesitar una bala de plata. Sólo los locos hacen tales cosas. ¿Pero puede ser uno de ellos cualquier hombre blanco que quiere el cambio? Es un pensamiento consolador.

Algunos recordarán hoy que tuvieron razón al no tomar a Max en serio, pobre diablo, cuando pronunció aquel espantoso discurso en la boda de su hermana. Los criticó severamente, sí, pero el pobre muchacho estaba desequilibrado. Eso fue mucho antes de la bomba, Dios mío, sí, mucho antes de que hubiera llegado a semejante extremo..., mucho antes de que hubiera llegado a un montón de cosas. Max y yo todavía estábamos juntos, Bobo era un bebé de meses y aún, curiosamente, teníamos un lugar en la vida familiar de los Van Den Sandt. Fue después de la Campaña de Desafío, naturalmente, pero supongo que, como la participación de Max en aquel acontecimiento se había silenciado, los Van Den Sandt no creían que constituyera una brecha verdadera entre Max y ellos. Para ellos sólo cuenta el escándalo público. En una de estas tergiversaciones de un código antiguo que degenera lejos de su origen y que es característico de una civilización traída de allende el mar y conservada con naftalina, los Van Den Sandt interpretan el honor como algo que existe sólo para los ojos ajenos; la gente puede matarse en privado, pero la vergüenza o el dolor sólo proceden de lo que se revela al exterior. La boda de una hija con un candidato apropiado era una ocasión pública (mi embarazo les había privado de Max, aunque éste no se hubiera negado a jugar) y el único hermano de la novia era un participante tradicional en el alegre sentimentalismo de clan que impregnaba la celebración. En consecuencia, Max

39

perdió toda otra identidad; los Van Den Sandt insistieron en que debía proponer el brindis por Queenie y su novio. Creo que tenían confianza en que se dejaría llevar por la convención de aquel acto, como les sucedía a ellos, que como estaba casado, con una esposa y un bebé propios, las ceremonias y las lealtades hacia su clase le dominarían por fin, que no podría resistirse a estar «a la altura de las circunstancias», como el recto individuo que debe ser todo hijo suyo en el fondo.

Me sorprendió que Max cediera, pues había tenido mis dudas de si conseguiría que acudiera a la ceremonia. Pensé que lo hacía por Queenie, de la que estaba encariñado de un modo natural, sin racionalizar..., era tan bonita, una de esas muchachas que se aceptan a primera vista, sin más necesidad de justificar esa impresión inicial.

—¿Qué diablos les vas a decir? —le pregunté, divertida ante la idea de Max pronunciando un discurso.

—¿Qué dirías tú, si te lo pidiesen? —replicó—. ¡Por la feliz pareja!

Agité una copa imaginaria y respondí:

—¡Sí! ¡Hurra!

La señora Van Den Sandt me dio dinero para que me comprara un vestido para la boda; un regalo generoso, estropeado por su imposibilidad de resistirse a observar:

—Que no se entere Theo de lo que cuesta el vestido... ¡Mi extravagancia le pondría furioso!

Así se aseguraba de que comprendiera lo generosa que había sido y lo modestas que debían ser mis expectativas con respecto a los Van Den Sandt. Lo que no supo fue que el vestido me costó menos de la mitad de lo que le dije, y usé el resto del dinero para pagar la cuenta de la farmacia y la lechería. Allí estaba sentada tras los centros de claveles y rosas que decoraban la mesa de la novia, comiendo salmón ahumado y bebiendo champaña, sintiendo sólo una vibración interna de pura timidez —oculta por la sonrisa cortésmente intercambiada con el tío que se sentaba a mi lado— cuando Max se levantó para hablar. Max es, era, delgado y no muy alto, pero tenía las muñecas gruesas y los ojos de un azul brillante y vista aguda que caracterizaba el lado materno de la familia; era inequívoca en él la identidad bóer que ella misma se adjudicaba coquetamente. Llevaba un traje oscuro y su mejor corbata de seda, que yo le había regalado. Dirigió al mantel que estaba bajo él, más que a los reunidos, la sonrisa nerviosa que siempre me recordaba el movimiento de la boca de cierto felino, sin rezongar, incapaz de expresar una salutación, pero reconociendo la proximidad de alguien. No me miró, ni a nadie más. Sus primeras palabras se perdieron en la charla que no se había extinguido del todo, pero entonces emergió su voz:

—...mi hermana y Allan, el hombre que ha elegido para casarse, una feliz vida en común. Se lo deseamos, naturalmente, aunque no podemos hacer mucho más que desearlo. Quiero decir que dependerá de ellos.

Hubo un conato de risas, un falso comienzo... Esperaban tener que responder pronto a una broma o una indirecta, pero Max no parecía entenderlo, y prosiguió:

—No conozco a Allan en absoluto, y aunque creo conocer a mi hermana, supongo que tampoco sé gran cosa de ella. Sólo de ellos dependerá que su matrimonio sea un éxito, y... que tengan buena suerte. Son jóvenes, mi hermana es guapa...

Esta vez el estallido de risas fue confiado. La voz de Max se hizo inaudible, aunque supuse que probablemente decía que su hermana era bella a pesar de los trapos con que se había disfrazado para la ocasión. Los invitados tomaron el hecho de que Max hiciera caso omiso de su reacción como una muestra de ingenio impasible, y reían con ponderación en cada pausa o titubeo mientras él proseguía:

—...entre ellos dos. Pero la clase de vida que llevarán, la manera en que vivirán entre otras personas..., ésa vuelve a ser otra cuestión, y aquí uno puede tener algo que decir. Sé que esperáis de mí que hable en nombre de todos los presentes —hubo un emotivo murmullo de apoyo—, todos los que conocéis a Queen desde que nació y los que habéis conocido a su marido, a Allan... y estáis aquí llenos de los buenos sentimientos que ellos experimentan cuando están juntos y bebéis a su salud —vuestra salud, Queen y Allan— pero ahora quisiera hablar por mí mismo —le miraban con la atención indulgente y sonriente que exigen las buenas maneras— y deciros que no permitáis que el mundo empiece y termine para vosotros con las..., ¿cuántas son? ¿Cuatrocientas?..., personas reunidas hoy en este club de campo y deportivo de Bonnybrook. Estos buenos amigos de nuestros padres y de los padres de Allan, el presidente regional de nuestro padre y los antiguos ministros de esto y aquello (no quiero equivocarme en las carteras) y todos los demás, cuyos nombres ignoro pero cuyos rostros reconozco, en fin, quienes nos han hecho, y han hecho este club y han hecho de este país lo que es... —Hubo un aplauso prolongado, iniciado por alguien que batió palmas con estrepitoso brío—. Hay todo un mundo fuera de éste —los aplausos se reanudaron—, encerrado fuera de éste, mantenido a raya, y este mundo también está encerrado... No os quedéis dentro, dejando que se os endurezcan las arterias, como las suyas... No me refiero a la clase de dolencia que padecen algunos de ellos, los que han padecido una trombosis, no hablo de las venas que se van obstruyendo de tanto sentarse en lugares como este club elegante y de tener más comida de la suficiente... —Se iniciaron unos cuantos aplausos, como esas palmas equivocadas entre los movimientos de un concierto—. Lo que os pido que tengáis en cuenta para prevenirla es..., es la esclerosis moral. Sí, la esclerosis moral, el endurecimiento del corazón y el estrechamiento de la mente, mientras los dividendos van en alza, lo que les hace distribuir mantas en los barrios segregados cuando llega el invierno, en vez de pagar a la gente unos salarios que les permitan vivir, la satisfacción vanidosa. Y entre nosotros nunca se es demasiado joven para contraer esa enfermedad, que se declara con mucha rapidez y está más extendida que la bilharzia en los ríos y es mucho más difícil de curar.

Se oyó un murmullo ahogado. El tío que estaba sentado a mi lado susurró con inquietud:

—Ha heredado el don de su padre como orador.

—Es endémica al ciento por ciento en lugares como este club de campo y deportivo de Donnybrook, y en todos los barrios residenciales que probablemente elegiréis para vivir. Sólo os pido que no estéis demasiado convencidos de que nuestros bonitos y limpios barrios sólo para blancos son saludables.

Los invitados sonreían, ciegos y sordos, manteniendo sus actitudes de atención imperturbable, como habrían hecho si la camarera hubiera perdido las bragas en la pista de baile, o hubieran oído de pronto el ruido de una sonora ventosidad liberada por alguien.

—...y vuestros hijos. Si tenéis pequeños, Queenie y Allan, no os preocupéis demasiado por quienes los besen..., eso es lo que les dirán más tarde, que infectan. Es lo que una exquisita educación hará de ellos, lo que habéis de vigilar. Esclerosis moral... Sí, eso es todo lo que quería decir; seguid bien vivos, sintiendo y pensando... y eso es todo cuanto puedo decir que sea de alguna utilidad...

De repente Max tuvo conciencia de la gente que le rodeaba y se sentó. Hubo un instante de silencio, y entonces el mismo par de manos que antes habían aplaudido con estrépito empezaron de nuevo, y algunas otras le imitaron, pero alguien en la mesa de la novia se puso en pie y alzó su copa para hacer el brindis del que Max se había olvidado: «¡Por los novios!», y todas las sillas plegables doradas se movieron y todos los asistentes se levantaron con gesto solidario: «¡Por los novios!» Vi los rostros decididamente sonrientes tras las copas de vino, como si se dirigieran a él, pero las voces de felicitación sonaron por encima de mi cabeza, los músicos tocaron *Por ser unos muchachos excelentes* y el estrépito se derramó sobre Max, ignorándole, afirmando a los demás. Al cabo de un rato nadie parecía recordar que el discurso se había diferenciado en algo de las docenas de discursos que habían escuchado en su vida y que no recordaban. Sólo el maquillaje de la señora Van Den Sandt descollaba como un rostro dibujado sobre el rostro verdadero, mientras se inclinaba vivamente sobre la mesa para recibir besos y felicitaciones; la piel debajo de aquel maquillaje debía de estar blanca como la cera.

Pobre Max..., ¡esclerosis moral! Cómo se enamoró de esa frase pedante y siguió repitiéndola: esclerosis moral. ¿De dónde diablos la había sacado? Y todas las analogías que sacó a relucir para acompañarla. Aquello recordaba a nuestras viejas lecciones de la escuela dominical: el mundo es el jardín de Dios y nosotros somos Sus flores, etc. (La Plaga de la Deshonestidad, los Pulgones de la Duda.) ¿Y podría haber habido un momento y un lugar menos apropiados para semejante intento? ¿Qué clase de espectáculo podía dar su torpe sinceridad en contraste con su absoluta descortesía? Todos ellos volvían a tener razón de nuevo, y él estaba equivocado. Sentí deseos de golpearle. No abandonamos la fiesta, sino que nos quedamos, bebimos bastante y bailamos, mostrando una ostentosa solidaridad propia, pero no pude decirle ni una palabra sobre el discurso, tan horriblemente divertido, y supongo que él se sintió avergonzado, pues estuvo de mal humor durante varios días.

En cuanto a la novia, su hermana Queenie, el hogar y la escuela habían tenido tanto éxito con ella que no comprendió suficientemente aquella extraña y confusa salida de su hermano para ignorarla.

—¡Vaya palabrería el día de nuestra boda! —se quejó afablemente—. ¡Me pareció que había vuelto a la escuela! ¡Crees que porque te casaste primero puedes darme lecciones como un abuelo!

Esclerosis moral, Dios mío.

Después del tiempo transcurrido, esas estúpidas palabras todavía me avergüenzan... y aparentemente expreso el desconcierto hacia afuera, con una sonrisa: cuando paré ante el policía de tráfico con una mano enguantada alzada, el que siempre está de servicio en mi esquina los sábados, me di cuenta de que él devolvía la sonrisa a la hembra tras el parabrisas, como quien responde a una inesperada pero nunca mal recibida insinuación.

Eʟ teléfono sonaba cuando entré en el piso, pero calló antes de que pudiera responder. Estaba segura de que era Graham, y entonces vi un ramo de flores envueltas en celofán sobre la mesa; le dijo a la florista que las enviara a casa en vez de hacerlo al asilo. Pero en el remilgado sobrecito constaba mi nombre... Me había enviado flores al mismo tiempo que las había encargado para la vieja. Samson, el empleado de la limpieza, debía de estar trabajando en el piso cuando las trajeron y las recogió. Estaban apretadas como rostros contra un cristal. Las liberé de la crujiente transparencia y leí la tarjeta: «con amor, G.». Graham y yo no tenemos nombres, referencias o palabras de amor privadas, y usamos el vocabulario corriente cuando es necesario. De las flores algo magulladas brotaba un aroma fresco; eran campanillas de febrero, con sus tallos y hojas parecidos a cebollas, su fresco verdor. Graham sabe cuánto me gustan esas flores, como el *muguet-du-bois* que compramos en Europa el año pasado, cuando estuvimos una semana en la Selva Negra. No hay nada que objetar a una sencilla declaración: con amor. Graham se encontró en la floristería y por eso me envió unas flores. No es algo que haría especialmente, a menos que se tratara de un cumpleaños o algo por el estilo.

47

Podría deberse a lo de Max, pero no, Dios mío, no lo creo, eso sería terrible y él no lo habría hecho. Hicimos el amor la noche anterior, pero eso no tiene nada de especial. No es agradable considerarlo un hábito, pero lo cierto es que al día siguiente él no tiene ningún juicio, no ha de pensar en ello los viernes por la noche, y yo no tengo que levantarme a la mañana siguiente para ir al trabajo.

Cuando estaba poniendo las flores en agua sonó de nuevo el teléfono.

—Son preciosas... Acabo de llegar. Las primeras campanillas que he visto este año.

—¿Cómo estaba el chico?

—Oh, todo ha ido bien. Gracias a Dios, es un niño muy juicioso.

Empecé a desear que viniera a almorzar conmigo, pero yo no iba a proponérselo, porque hemos decidido firmemente que cada uno ha de vivir su vida, y si yo empiezo a solicitar su compañía cuando me viene en gana, tendré que aceptar que él haga lo mismo en algún momento que podría ser inconveniente. No se puede tener ambas cosas. Probablemente almorzaría en casa del joven abogado con el que había estado jugando al golf y cuya esposa es también abogada, una chica simpática... Me gusta su compañía y me han hecho una especie de invitación abierta, pero ante esa clase de gente, los colegas de Graham, no nos gusta dar la impresión de que «vamos juntos a todas partes» y dejamos claro tácitamente que no deben considerarnos como una «pareja». No tendría sentido que un hombre como Graham se pavoneara de que tiene una mujer, a menos que..., ¿qué? No creo que pudiera decirse de nuestra relación que no es seria, pero, de todos modos, no está clasificada, etiquetada.

Graham me dijo que en la primera edición del periódico de la tarde había algo sobre Max.

—¿Quieres que te lo lea?

—No, sólo dímelo.

Pero él se aclaró la garganta como hace siempre antes de leer algo en voz alta, o inicia sus discursos en la sala del tribunal. Al contrario que la mayoría de los abogados, tiene buena voz.

—No es gran cosa. No hay ninguna mención de ti, sólo de sus padres. Han exhumado el caso, desde luego..., y dicen que fue un renombrado comunista... No recuerdo que...

—No lo fue; no tuvo ningún renombre, a pesar de todo.

—Un equipo de buceo ha logrado extraer el coche. Han encontrado una maleta llena de documentos y papeles en la parte trasera, todos tan dañados por el agua que no será posible determinar su naturaleza.

—Mejor así.

—Nada más... Hablan de la carrera parlamentaria de su padre.

—Ah, claro. ¿No dicen nada de Bobo?

—Por fortuna no.

Parecíamos dos fríos criminales comentando una fuga que había tenido éxito.

—La mañana ha sido perfecta —le dije—. ¿Te ha ido bien el juego?

—Booker se ha llevado la mejor parte. Ya es la segunda vez esta semana, y le he dicho que no hay derecho a que me gane así.

Él y su compañero de golf han estado enfrentados en un caso que Graham ha perdido.

—No lo entiendo —le dije—. Si yo estuviera en tu lugar, le tendría lo suficientemente visto como para preferir pasar una temporada sin su compañía.

Él se echó a reír. Siempre me asombra eso de que los letrados se ataquen implacablemente por la vida de otra persona, y luego, en la pausa para tomar el té, se sienten juntos en fraternal camaradería.

—Nada es más temible que el profesionalismo. Imagínate, que te caigan diez años o te absuelvan puede depender de que tu abogado sea más convincente que el del otro, y ambos beben juntos en el club de golf. Eso me aterra más que la idea del juez. Me gusta pensar que cuando recurro a un abogado está tan absorto en mis problemas como lo estoy yo misma.

Nos reímos; aquél era un terreno que ya habíamos pisado en otras ocasiones.

—Pero eso no serviría de nada, porque si estuviera absorto de ese modo, su defensa sería muy mala. Eres demasiado emotiva.

Pensé en cómo acabábamos de hablar de la muerte de Max. La sinceridad parece insensible; por eso uno casi se avergüenza de ella.

—De todos modos, Booker no sabe que vamos a apelar —me dijo en un seco tono de guasa—. Me desquitaré en el juzgado, si no es en el campo de golf. Esta tarde voy a trabajar un poco, bueno, si no me echo a dormir. Pero no creo que sea capaz de resistir el sueño. Es esa silla que me hiciste comprar.

En Dinamarca encargó los hermosos muebles de cuero que fabrican allí, y nos desprendimos de las feas piezas que su mujer debió de considerar apropiadas para el «despacho de un caballero». Hay una silla en la que se podría dormir toda la noche, incluso hacer el amor en ella, aunque Graham no lo haría jamás. Ayer, después de que la criada se hubiera llevado el servicio de café, y aunque sentimos deseos de hacer el amor cuando estábamos sentados ante el fuego, fuimos a su dormitorio, como de costumbre. Qué tontería es ésa de escribir sobre la voz «incorpórea» por teléfono: todo Graham estaba allí mientras hablábamos de lugares comunes. Anoche le retuve largo tiempo en mi cuerpo.

Él llamaba desde una cabina telefónica, y se oyó la señal que anunciaba el fin de la conexión. Le dije algo sobre las flores, antes de colgar. Una vez a solas, y a pesar de mis deseos anteriores, no sentí ninguna inclinación a salir de casa. Por el contrario, experimenté un alivio. Llené el florero de agua hasta el nivel adecuado, tiré el papel y el celofán al cubo de la basura y guardé en la nevera la comida que había comprado, desplegué mi silla de plástico y aluminio y me senté en la terraza, al sol, fumando. Mucho de lo que exigimos a otros no es más que hábito nervioso, como tender la mano para pedir un cigarrillo. Eso es algo que debería recordar, si alguna vez me casara de nuevo. No creo que vuelva a hacerlo, pero a veces me sorprendo hablando de Max como de mi «primer marido», lo cual da a entender que espero tener otro. En fin, a los treinta años una todavía no puede estar demasiado segura de lo que hará.

A los dieciocho estaba completamente segura, desde luego. Me casaría y tendría un hijo. Este futuro se había cumplido tal como esperaba, aunque quizá más pronto. Puede que Max no fuera el hombre adecuado, pero, en lo más hondo de mi subconsciente, la situación concordaba con la pauta que me habían dado a seguir. El concepto de matrimonio como refugio seguía vigente en mí, aun cuando sólo fuera un refugio de los padres y sus actitudes. Allí, al margen del material de que estuvieran hechos los muros, llevaría una vida de mujer, una vida entre mujeres como mi madre, unida a un hombre como mi padre. Pero el problema radica en que ya no hay hombres como mi padre, en el sentido de que la clase de hombre a la que pertenece mi padre ya no representa en mi mundo lo que representó en el de mi madre. Me educaron para vivir entre mujeres como mujeres de clase media, con sus preocupaciones por la compra, la relación social y las tareas domésticas cómodamente resueltas, pero tengo que vivir entre hombres. La mayor parte de lo que pude aprender de mi familia y mi ambiente ha resultado irremediablemente obsoleto para mí.

Graham y yo nos conocemos desde el juicio. Ya me había divorciado de Max, pero no había nadie más que me ayudara; así es cómo conocí a Graham, pues me dijeron que era el hombre apropiado para aquel caso. Al final no pudo encargarse del sumario y se lo dieron a otro letrado, pero él siguió interesado y después, cuando Max estaba en la cárcel, me ayudó a efectuar diversas solicitudes en favor de Max. Graham no me hacía preguntas, era como uno de esos médicos que dan la impresión de que lo saben todo sobre ti, simplemente por medio de una lectura profesional de signos que ni siquiera sabes que exhibes. Estuvo casado una vez, con una chica a la que conocía desde que iban a la escuela y que murió de miningitis cuando era más joven de lo que yo soy ahora. Todavía hay cubrebandejas en la casa con las iniciales de la mujer bordadas.

Graham defiende a mucha gente acusada de delitos políticos, y es uno de los pocos abogados que hacen caso omiso de las posibles consecuencias de adquirir la reputación de aceptar de buen grado tales casos. Mi trabajo consiste en analizar heces, orina y sangre, en busca de tenias, bilharzia y colesterol respectivamente (en el Instituto de Investigaciones Médicas). De este modo los dos tenemos las manos limpias, al menos por lo que concierne al trabajo. Ninguno de los dos gana dinero explotando mano de obra barata o realiza un servicio restringido a personas de un color determinado. En cuanto a mí, gracias a Dios, la mierda y la sangre son lo mismo, al margen de quien procedan.

En Europa, el año pasado, disfrutamos mucho y ocupamos la misma habitación, la misma cama, con una intimidad natural. Cada uno fue por su lado parte del tiempo, pero planeamos juntos las vacaciones y no nos separamos demasiado. No creo que nos enfadáramos ni una sola vez. Pero al regresar volvimos a vivir como antes; a veces transcurrían dos semanas sin que durmiéramos juntos, y gran parte de nuestras actividades respectivas eran totalmente desconocidas por el otro. Sentada en mi balcón, al sol, no tenía necesidad de él.

Una conexión sexual, sí, pero hay algo más. ¿Una aventura amorosa? Menos que eso. Desde luego, no sugiero que sea una nueva forma de relación, sino más bien una formada por los fragmentos de anteriores relaciones que fracasaron. Es bastante decente; no hace daño a nadie, ni siquiera a nosotros mismos. Supongo que Graham se casaría conmigo si yo quisiera. Tal vez lo desea, pero si lo hiciéramos todo cambiaría. Si quisiera un hombre, aquí, en esta época y en este país, ¿podría encontrar uno mejor que Graham? Es cierto que no actúa, pero tampoco cede, y eso no es malo en una situación de punto muerto. Su estilo de vida es el de la comunidad blanca, pero ¿de qué serviría vivir de cualquier otra manera? Sobrevivirá a sus propias convicciones, hará lo que se proponga, cumplirá sus promesas. Cuando hablo con él de historia o de política, me doy cuenta de la atracción magnética de su mente hacia la verdad. ¡Uno no puede alcanzarla, sino sólo tener alguna idea de dónde está! Pero cuando entra en mí, como anoche, ocurre algo muy extraño. Es mucho mejor que cualquier otro de mi edad, me penetra con una firme y majestuosa erección que durará tanto como queramos. A veces permanece dentro de mí durante una hora, y puedo poner la mano sobre mi vientre y notar la cabeza roma del miembro, como un estandarte erguido a través de mi carne. Pero mientras me llena, mientras parece que mis últimos resquicios se cierran para siempre, mientras estamos tendidos en silencio, tengo la sensación de que soy yo quien le ha introducido en mi carne, soy yo quien le retiene ahí, quien le posee sin que él pueda hacer nada por evitarlo. Si flexiono los músculos de mis entrañas es como si estrangulara a alguien. No habla, el tormento del placer cierra sus ojos, de párpados tiernos sin las gafas. E incluso cuando hace que lleguemos al éxtasis, sigo sujetándole después como si lo hubiera estrangulado: caliente, espeso, muerto dentro de mí.

Así es nuestra relación.

Pero no pienso en ello con frecuencia, y sentada en mi balcón, al sol del mediodía, al que se le puede llamar invernal, simplemente ocupaba un lugar en mi conciencia (el calor seco me adormecía por momentos), con las palomas recorriendo a pasitos el canalón, dos niños en el piso de abajo, a los que no podía ver pero a los que oía mientras se atacaban con pistolas de agua, y unos hombres en un trecho de hierba junto a la acera opuesta. Eran grupos de negros con sus bicicletas de reparto o con monos de trabajo, y estaban tendidos sobre la hierba, en sus espaldas los letreros de las empresas para las que trabajaban. Tenían grandes latas rojas de cerveza que bebían al sol. Todos estábamos al sol. Hay una manera de estar con la gente que sólo es posible cuando no se conocen los nombres. Si uno no tiene una necesidad particular de nadie, descubre que pertenece a una compañía en la que no había sido admitido antes; no necesitaba a nadie porque tenía a esas personas que, como yo misma, se pondrían en pie y se irían al cabo de un rato. No tenía ningún motivo, pero me sentía a mis anchas. A pesar de todo.

Charlaban a intervalos, con las cadencias que conozco tan bien, aunque no entendiera las palabras. Era la hora en que todos los moradores de los pisos estaban comiendo, y sólo ellos tenían tiempo para estar tendidos en la hierba, tiempo que carecía de cualquier etiqueta adherida. Poco después entré, corté una rebanada de la hogaza que había comprado, le puse encima una loncha de jamón fina como el papel y lo comí junto con un plátano en el que anidaba el invierno, un centro duro y un sabor a fieltro. Después de comer me invadió la fatiga y me tendí en el diván de la sala de estar, en el sitio más cálido, bajo la manta que cubría la cama de Bobo.

Una visión de algas balanceándose en el fondo de las aguas profundas. Eso es lo que vi al abrir los ojos en la sala; no dormía, sino que estaba despierta en la visión, junto a las aguas en cuya superficie emergen las cabezas en manojos de cintas de caucho retorcido, hirvientes al contacto con el oxígeno del agua hendida, enlodada por el arrastre del agua desde las rocas; y al mismo tiempo, mirando desde lo alto del acantilado por donde pasa la carretera, las profundidades como caparazones de tortuga llenos de sol y la distorsión ondulante de los grandes tallos, pardos tubos aplastados que se inclinan hacia abajo, fuera del foco de las lentes acuosas gruesas como culos de botella, abajo, abajo.

El agua entraba por las fosas nasales de Max y le llenaba la boca cuando la abría en busca de aire. Por primera vez pensé en cómo debía de haber sido aquella muerte. La hirviente agua salada penetrando impetuosamente en todas partes y las últimas burbujas de vida saliendo como eructos de los lugares donde habían quedado atrapadas: el coche, debajo de su camisa, en sus pulmones, llenas del último aliento que había tomado antes de hundirse. Abajo, abajo, allí donde las algas deben de tener por fin su principio. Se llevó consigo una maleta llena de papeles que no han podido descifrarse, tan estropeados estaban por el lodo. Se llevó consigo escritos, opúsculos, planes, cartas, y nadie sabrá jamás su contenido. Ha logrado morir de un modo definitivo.

Estaba tendida, inmóvil, en la sala, y mis ojos se

llenaban de lágrimas. No lloraba por la muerte de Max sino por el dolor y el terror de los hechos físicos concomitantes. Las flores se habían movido y abierto mientras dormía, y su aroma llenaba la cálida estancia. Permanecí muy quieta y me sentí viva, entre aquellas paredes, tan viva como el aroma de las flores.

La muerte de Max es una posdata. Una posdata puede ser algo trivial, poco pertinente, o puede ser importante y de una relevancia definitiva.

Creo que sé todo lo que podía saberse de Max. Saberlo todo puede equivaler a perdonar, pero no es amar. Una puede saber demasiado para amar.

Cuando Max y yo nos casamos, él dejó la universidad y yo tomé un empleo..., muchos empleos. Ninguno de ellos duró mucho; había muchas otras cosas que hacer, en aquel entonces aún había cosas que uno podía hacer y cuya inmediatez nos atraía... Grupos de discusión y estudio en las habitaciones de personas como nosotros y en los barrios negros, reuniones al aire libre, manifestaciones. El Partido Comunista había sido declarado ilegal y oficialmente desmantelado, pero bajo las siglas de otras organizaciones, todo el arco iris, desde los conservadores políticos «bienintencionados» hasta el ala izquierda radical, podía todavía mostrarse bastante abiertamente. Por encima de todo, el nacionalismo africano estaba en una etapa de confianza y prestigio a los ojos del mundo por medio de las campañas de resistencia pasiva, y en el país parecía llegado el momento de reconocer a los africanos de cualquier color que quisieran librarse de la barrera racial. En nuestro pequeño grupo, Solly, Dave, Lily, Fatima, Alec, Charles... indios, africanos, mestizos y blancos... Fatima le dio el biberón a Bobo, Dave se reía de los malos modales de Max. El futuro ya estaba allí, y se trataba de tener el valor de anunciarlo. ¿Cuánto valor? Creo que no teníamos la menor idea.

Max abandonó su primer trabajo porque no le dieron tres días de permiso para asistir a una conferencia de los sindicatos. La política era uno de los temas principales que había estudiado en la universidad, pero había grandes lagunas en lo que creía que debía saber. Por entonces se concentraba en tratar de proporcionar a un pequeño grupo de africanos políticamente ambiciosos parte de los conocimientos teóricos de economía que deseaban. No recuerdo lo que sucedió con el siguiente empleo..., ah, sí, le pidió a una mecanógrafa que sacara copias de un panfleto en horas de oficina. Y así sucesivamente. Los empleos eran lo último que le preocupaba, porque carecían de importancia. Aceptaba cualquier cosa que nos ayudara a mantenernos. En cualquier caso, no tenía cualificaciones especiales; había estudiado una carrera de letras, que sus padres consideraron como una alternativa inocua al comercio o la contabilidad, y que él había visto como algo que le daría libertad de pensamiento. A sus padres no les importaba mucho la carrera que eligiera, con tal que obtuviera un título, y sólo esperaban que, una vez conseguido, pasara a formar parte de una de las empresas paternas.

A causa de sus demás actividades, Max tenía que estudiar de noche, pero entonces había menos tiempo que durante el día, puesto que los grupos de estudio y las reuniones tenían lugar después de las horas de trabajo, y se presentaban amigos para mantener conversaciones que solían durar la mitad de la noche. Yo volví a trabajar cuando Bobo tenía cinco meses y disponíamos de una nodriza, Daphne, una auténtica nodriza de Johannesburgo, fuerte y hermosa, que cuando estaba en casa cuidaba tanto de Max como del bebé. En una ocasión ambas sospechamos el mismo mes que estábamos embarazadas, y, sin que yo molestara a Max ni ella se lo dijera a su novio, nos las arreglamos para solucionar la situación tomando enseguida unas píldoras que le exigí a mi médico, quien me advirtió de que no tendrían efecto alguno si estábamos preñadas.

Estaba convencida de que Max debía volver a la universidad y terminar sus estudios. No viviríamos a costa de los Van Den Sandt (teníamos que recurrir a su ayuda de vez en cuando..., cuando nació Bobo, por ejemplo). Quería encontrar un trabajo que pudiera desempeñar de noche, además de mi actividad durante el día. Examinamos las posibilidades; no podía trabajar como mecanógrafa. Al final dije:

—Acomodadora de cine, eso es. ¿Cuánto deben de ganar?

—¿Por qué no? Con un traje de paje como los de Soutine y una linterna.

Me di cuenta de que la idea le gustaba de veras, y empezó a decirle a la gente, como si ya hubiera aceptado el trabajo: «Liz va a trabajar en un cine, no creáis que veis visiones». Por entonces trabajaba para una firma privada de patólogos, y en vez de hacerme acomodadora conseguí un trabajo consistente en redactar debidamente las notas de investigación de uno de los médicos. Estaba mejor pagado que el trabajo en un cine, y podría hacerlo en casa. Pero a Max le irritaban con frecuencia las notas del doctor Farber esparcidas por el piso atestado donde no había espacio suficiente para sus propios libros y papeles, y pareció perder interés por el objetivo de mi trabajo adicional. El trabajo como acomodadora de cine era quizá lo más alejado que podía existir de cualquier actividad en la que la señora Van Den Sandt o la hermosa Queenie pudieran imaginarse implicadas. Así pues, privé a Max de una oportunidad de llegar a un distanciamiento definitivo de ellos, y de una satisfacción de su anhelo de acercarse a otra clase de gente mediante el vínculo de la necesidad. Yo era consciente de ese anhelo, pero no siempre comprendía cuándo mi conducta no favorecía su realización.

Aunque Max había sido miembro de una célula comunista en la universidad, no siguió una línea estrictamente marxista en sus intentos de ofrecer a los africanos unos fundamentos para la evolución de su propio pensamiento político, y cuando el Partido Comunista comenzó a funcionar de nuevo, como una organización clandestina, aunque le propusieron que actuara bajo su disciplina, no lo hizo. Durante su breve experiencia en la célula comunista había sido un miembro muy joven e irrelevante; tal vez ello tuvo que ver con su negativa, pues ya no se veía en esa posición limitada. Después de la Campaña de Desafío, en la que tomaron parte personas con todo tipo de afiliación política, estuvo un tiempo afiliado al nuevo Partido Liberal no racial, y luego al Congreso de Demócratas. Pero los mismos africanos no se tomaban en serio al Partido Liberal, y Max se vio apartado, incluido en un grupo de blancos del que los africanos creían que tenía el bienintencionado atrevimiento de hablar en nombre de ellos. Incluso en el Congreso de Demócratas, una organización blanca radical (ofrecía una cobertura para algunos comunistas importantes) que no se limitaba a corteses contactos de plataforma en conferencias multirraciales, Max se sentía inquieto. Los del COD trabajaban directamente con los movimientos políticos africanos, pero el motivo principal de su existencia era que, si bien se identificaban con la lucha africana, comprendían como una cuestión de táctica que ningún movimiento africano que buscara el apoyo de las masas podía permitirse tener miembros blancos.

Yo no me había afiliado al Partido Liberal, pero trabajaba en el COD, no exactamente con Max, sino sobre todo en actividades clandestinas, imprimiendo propaganda para el Congreso Nacional Africano y cosas por el estilo. Resulta curioso lo profundas que son las amistades que entablas cuando trabajas con el temor y la excitación de las redadas policiales a tus espaldas. Creía en lo que estaba haciendo y en la gente con la que trabajaba. Desde luego tenía el valor suficiente para estar a la altura de lo que entonces se requería —antes de los Noventa Días— y limitaba mis actividades sólo por Bobo. Otras personas también tenían hijos, claro está, y daban prioridad a su actividad política, pero en el caso de que nos detuvieran a Max y a mí, no habría nadie que pudiera cuidar del niño salvo Daphne, puesto que la idea de que se ocuparan de él los Van Den Sandt o mis padres constituía para mí un auténtico abandono.

Estoy midiendo mis palabras, después de todos estos años, porque Max se ha ahogado. Es como ponerse un sombrero para ir a un funeral, la vieja y gastada convención de que uno debe mentir acerca del que ha muerto. El caso es que nadie era responsable de Bobo excepto yo misma. Max era incapaz de ser consciente de las necesidades ajenas; no le preocupaban más que las suyas propias. Cierta vez mi madre calificó esta incapacidad como «egoísmo horrible». Había admirado mucho su irreversible preparación para hacer algo de provecho, y ahora veía en él una desviación demencial. De pequeño, el chófer le llevaba a la escuela e iba a recogerle todos los días, y luego le impedían estar en las habitaciones donde los adultos celebraban sus reuniones y fiestas. Los Van Den Sandt le trataban como a un príncipe encerrado en una torre. Ni siquiera la pobreza le liberó, y bien sabe Dios que éramos pobres. Él tenía las parcas necesidades del fanático, y esperaba que los demás las satisficieran. Compraba unos zapatos, libros o coñac a crédito, y se enojaba con arrogancia cuando nos pedían que pagáramos; o daba por sentado que era yo quien debía tratar con los tenderos. Max sencillamente no sabía lo que era vivir con otras personas; nos conocía a todos los demás como conocía a Raskolnikov, Emma Bovary, el doctor Copeland y el joven Törless, cuando se dedicaba a leer a solas en su habitación de la granja. Se pasaba horas analizando los problemas y las actitudes de una persona, con buena intuición y una mezcla de curiosidad y simpatía, pero no reparaba en que esa persona estaba agotada, ni recordaba que había mencionado que tenía que tomar un tren a cierta hora para regresar a su casa. A veces se llevaba a Bobo a Fordsburg, donde lo dejaba al cuidado de las jóvenes hijas de una familia india que lo adoraban, y luego, deseoso de continuar la amistad con alguien a quien quizá había conocido la noche anterior, iba a un patio o una casa y abandonaba al pequeño entre unos rostros o unos brazos —los de cualquiera— que no había visto jamás. Una vez Fátima me telefoneó para decirme que la madre de un transportista de Noordgesig, el barrio de mestizos, le había llamado para pedirle mi número, porque Bobo tenía una rabieta y no sabía qué hacer para calmarle. Max se había ido con su hijo y el hermano de Fátima; dejó allí a Bobo como en otro tiempo dejaba una bicicleta o un juguete en el césped de los Van Den Sandt para que los recogieran los criados.

Traté de explicar a Myra Roberts, una mujer que poseía a mi parecer el único «rasgo atenuante» que existe —un sentimiento natural de responsabilidad hacia los desconocidos tanto como hacia su propia familia y amigos—, que el COD no podía contar conmigo y con Max a causa de Bobo. Me respondió: «¡Oh, creemos que podemos contar contigo!». Su vehemencia me encendió el rostro, y luego el de ella misma. Durante algún tiempo le mostré cierta frialdad para compensar la deslealtad de aquel rubor.

Y sin embargo Max no habría hecho nada, y ahí radicaba el meollo del problema. Cuando le daban una tarea, iba siempre más allá de lo que le habían dicho que era el límite pretendido. Si le pedían que escribiera a un dirigente de acuerdo con unas pautas determinadas (trabajaba en el boletín informativo), extendía por su cuenta las conclusiones que le habían facilitado. Escribía bien y le habría gustado ser el director del boletín de noticias; si la junta ejecutiva hubiera tenido la seguridad de que no lo usaría para sus propios fines ni les pondría en un compromiso que no deseaban, creo que le habrían hecho director. Cuando estaba reunido en comité, le abrumaba el deseo de actuar, y permanecía silencioso, enfundado en su uniforme inconformista de estudiante y con barba rubia, con una mano nerviosa sobre la boca. Cuando hablaban —los expertos, los que sabían que no debían correr el riesgo de acelerar la prohibición del grupo por culpa de una palabra inconveniente o un paso en falso— sus ojos brillantes los escrutaban. Y cuando habían terminado, él se apoderaba del plan de acción:

—De todos modos, mañana veré a los sindicalistas... Hablaré con ellos.

—Esto es algo que sólo se podrá hacer con los grupos de jóvenes. Tendremos que reunirnos con Tlulo y Mokgadi, pero a Brian Dlalisa y a ese tipo, Kanyele, habrá que mantenerlos al margen...

Una impaciencia febril surgía de la sensación que tenía siempre de hallarse, en definitiva, fuera de los barrios segregados, las prisiones, los grupos de obreros y los trenes sobrecargados, donde se vivía realmente el enfrentamiento con la situación racial, al margen de lo que se hiciera desde el exterior trabajando con blancos como él.

Pero los otros decidían quién debía hacer las cosas y sabían quién era la persona más idónea a la que recurrir en cada caso. Regresaba a casa exultante por el encargo que le habían hecho. Los libros prescritos sobre historia, filosofía y crítica literaria estaban esparcidos por el piso (yo los leía mientras él estaba atareado en sus reuniones). De todos modos, ¿de qué diablos le habría servido un título de licenciado en letras? Era un callejón sin salida que le habría servido al hijo de un rico como símbolo social de que había pasado por la universidad. Quizá podría haber escrito algo, pues tenía pasión e imaginación; hizo algún intento, pero necesitaba demasiado relacionarse a diario con los demás para poder retraerse en la profunda concentración que imagino necesita un escritor. Podría haber sido abogado, pero todas las profesiones formaban parte del club de blancos cuyo boleto de admisión, su único derecho de nacimiento, había roto. Incluso habría podido ser un político (después de todo, era tradición familiar), si se hubieran reconocido las ambiciones políticas aparte del sostenimiento del poder blanco. También habría podido ser un buen revolucionario, si hubiera habido un poco más de tiempo antes de que proscribieran todos los movimientos radicales, impidiéndole adquirir una disciplina política.

«Tengo posibilidades, desde luego, pero ¿bajo qué piedra se encuentran?»

Un día Max trajo a casa a un hombre llamado Spears Qwabe, un antiguo maestro de escuela lánguido y sosegado, que hablaba con una voz ronca y baja.

—Lo peligroso es que no nos preocupamos de ver lo que viene después de la lucha, no pensamos lo suficiente en lo que hay al otro lado. Tienes que saber hacia dónde vas, hombre. Pregúntale a cualquier tipo de la ciudad cómo cree que vamos a vivir cuando nos instalemos con los blancos. Te mirará con una expresión soñadora, pensando que tendrá un coche y un empleo con un escritorio, eso es todo. El mismo viejo esquema, sólo que no va a vivir en una zona segregada ni a necesitar un pase para ir de un lado a otro. Ni siquiera los políticos saben hacia dónde van ideológicamente. Los del Congreso Nacional Africano aceptan consejos de los comunistas, están dispuestos a utilizar sus técnicas de lucha... Muy bien, de acuerdo, pero aparte de los pocos que son comunistas en primer lugar y luego africanos, ¿quién cree que el Congreso quiere una sociedad basada en un sistema comunista ortodoxo? Carecen de una doctrina social..., sí, de acuerdo, pueden agitar la Carta de la Libertad, pero ¿hasta dónde puede llegarse con eso? Lo mismo ocurre con el PAC. Dedicarse solamente a pensar no sirve para avanzar mucho en la lucha, y si se avanza sin hacer un solo ruido, ¿en qué crees que consiste ese avance? ¿A qué se queda reducido? Les oyes hablar en sueños y llegas a la conclusión de que sólo quieren apropiarse del trabajo..., de todo el sistema social y económico de los blancos, hombre, todos los empleos. Un país negro capitalista en el que quizá, siendo optimistas, se nacionalizarán las minas, como un gesto. «La riqueza mineral subterránea, la banca y la industria monopolista se transferirán en conjunto a la propiedad del pueblo.» Bonita poesía, pero ¿cómo van a conseguir realmente una distribución equitativa de lo que consigan? ¿Hay alguien que hable con sensatez sobre eso? ¿Hay alguien que se moleste en intentarlo? ¿Y por qué tendríamos que adoptar cualquiera de las soluciones estereotipadas de Occidente y del Este?

Max quiso animarle, hacerle ver que exageraba.

—Adoptarás esas soluciones en gran parte, tanto si quieres como si no. Tendrás que utilizar diversas instituciones del Este y el Oeste, ¿no crees?, porque lo que no vas a hacer es volver al sistema de trueque y al uso de conchas marinas como moneda.

—Pero espera, no se trata de eso... Las instituciones

humanas son adaptables, ¿no? Lo que necesitamos es vernos como un país industrializado que puede separarse de la puerta capitalista-comunista establecida en el siglo XIX para una sociedad industrializada, y crear su propio sistema, totalmente independiente.

Qwabe habló mucho aquella primera vez que vino a casa, pero quizá en mi mente se confunde lo que dijo entonces con lo que le oí decir más tarde, en otras ocasiones.

—Queremos un estado democrático moderno, ¿verdad? El tribalismo lo hará muy difícil incluso aquí, donde los blancos casi han acabado con él, aunque el gobierno actual está usando de nuevo el tribalismo con los bantustanes y ese tipo de cosas. Hemos de tomar los elementos democráticos del tribalismo e incorporarlos, usarlos, en una nueva doctrina de socialismo práctico, de socialismo de África y para África. No hemos de recurrir al Oeste o al Este para saber cuáles son los males del monopolio..., la tierra siempre ha pertenecido a la tribu, lo mismo que el pastoreo. No tenéis que enseñarnos la responsabilidad por el bienestar comunitario, porque siempre hemos cuidado unos de otros y de los niños de la tribu. Todo esto hay que incorporarlo a un nuevo carácter distintivo de la nación, ¿eh? El espíritu de nuestro socialismo procederá de dentro, pero la realización técnica vendrá del exterior.

Entonces Max empezó a buscar entre los montones de libros y periódicos y tendió a su amigo un libro de Nyerere.

—Sí, sí, ya lo sé, pero el socialismo africano no puede ser la obra de un solo hombre. La doctrina del socialismo africano debe ser establecida por diferentes pensadores, todos los cuales harán su aportación. Hay que ponerlo por escrito, hombre. Tenemos héroes políticos, no pensadores. Mbeki, sí, de acuerdo, tal vez.

Tendremos muchos mártires políticos, muchos más, ¡pensadores no! ¡Hay que ponerlo por escrito, hombre!

Cuando Max estaba profundamente interesado, tenía una manera curiosa de permanecer en pie ante la persona con la que conversaba, prácticamente pegado a su interlocutor. Recuerdo cómo estaba ante el hombre vestido con un sucio impermeable (incluso en los días más calurosos Spears daba la impresión de un solitario transeúnte bajo la lluvia a las tres de la madrugada) diciendo:

—Sí, pero ambas cosas deben ir juntas, el socialismo africano debe ser la filosofía de la lucha, debe participar en la lucha, ahora..., si va a significar algo...

Spears me gustaba. Bebía mucho, pero aunque no siempre le respondían las piernas, nunca perdía el uso de la palabra. Tenía una pequeña camarilla cuyos miembros empezaron a darse el nombre de «Umanyano Ngamandla», que significa algo así como «trabajemos con un propósito común», nombre coloquial para un movimiento socialista africano. Muchos de ellos habían roto con el Congreso Nacional Africano o con el Congreso Panafricano. Max se convirtió en su gurú, o Spears en el de Max, no importa. El COD dejó de existir en la conciencia de Max, quien no pudo devolver, aceptablemente ordenados, los papeles pertenecientes al trabajo que había estado haciendo. Recuerdo que lo revolví todo tratando de encontrarlos, pero pasaron los meses, nos mudamos de casa, y yo me sentía cada vez más apurada cuando me los pedían. Había seguido trabajando para el COD porque pensaba que Max estaba equivocado... Me asustaba ver la facilidad con que se olvidaba de las personas con las que había trabajado en aquel grupo. Pero empecé a ver en la actividad del COD, si no en los amigos que la llevaban a cabo, limitaciones que estaban en la naturaleza de semejante organización y que siempre han existido: necesitaba que Max tuviera razón.

Spears pasaba con nosotros la mayor parte del tiempo. Él y Max formulaban su metodología del socialismo africano. Max lo veía como una serie de panfletos que, en cualquier caso, se convertirían en el manual, si no en la biblia, de la revolución africana. «Hay que ponerlo por escrito, hombre.» La frase era a la vez el objetivo de Spears y la red de tópicos con la que trataba de recoger firmeza cuando bebía: te podías reír de él cuando la repetía borracho, reírte sin titubeos de su flaqueza, pero era como el nombre de un dios, cuya omnipotencia no se altera tanto si uno lo usa para blasfemar como para bendecir. «Tenemos que bajarla del pedestal, hombre.» Oía esa frase continuamente. Era el ritmo de su voz espaciando los clichés políticos, las construcciones gramaticales traducidas del xhosa y las traducciones literales del afrikaans, de su inglés fuertemente sazonado.

Sin embargo, no veía eso de «ponerlo por escrito» en los mismos términos literales que Max, de los que éste no podía escapar. Max planeaba punto por punto, capítulo por capítulo (en un momento determinado pensó en poner todo aquello por escrito en forma de diálogos platónicos), pero el pensamiento de Spears era como una erupción de lava que, enfriada en el proceso de toma de notas, era difícil de organizar en sus componentes de disertación y análisis. Max y Spears hablaban hasta muy tarde por la noche, y de día Max escribía y refundía todo aquello, usando las notas que había tomado y la memoria. Ésa fue la época en que cuando llegaba a casa después del trabajo, encontraba a Max gritándole a Bobo. Había tratado de trabajar toda la tarde a pesar de los juegos ruidosos y las interrupciones del bebé. El rostro de Max era como una máscara infantil de frustración histérica. Yo cogía a Bobo y me lo llevaba a pasear por las calles, pero no podía hacer nada para cambiar la expresión de Max.

Permanecía durante horas de pie, discutiendo delante de Spears, y era incapaz de quedarse quieto, sentado en una silla. Spears era vehemente, pero carecía de la tensión de Max; podía hablar del mismo modo sentado ante la mesa de la cocina, mientras yo freía salchichas, o mientras Bobo se encaramaba y utilizaba sus hombros a modo de carretera para su coche de juguete. Solía llamarme «cariño», y una o dos veces, cuando estaba sólo un poco bebido, me acorraló en la cocina, pero le dije que no me gustaba el olor del coñac y él me acarició la mano, pesaroso, y dijo: «Olvídalo, cariño». Creo que la mayor parte de su impulso hacia las mujeres se ahogaba en el licor, pero el residuo era una ternura despreocupada e inespecífica a la que Bobo y yo respondíamos. Y Max. Él sobre todo. Allí estaba Max, casi encima de él, protestando, discutiendo, presionando..., no era sólo la determinación de «ponerlo todo por escrito» lo que impulsaba a Max; tendía irresistiblemente hacia lo que nunca se podría escribir, lo que Spears no necesitaba anotar porque era suyo..., una identidad con millones como él, una abundancia otorgada por la privación de todo lo que Max había tenido a raudales. Algunos de los blancos que conozco quisieran tener la inocencia de los negros, esa inocencia que, incluso en plena corrupción, proporciona la condición de víctima. Pero eso no le sucedía a Max. Y todo el mundo conoce a esos blancos que quieren que se les permita «amar» a los negros, por un sentimiento de culpabilidad. Tampoco esto le ocurría a Max. Él quería acercarse a ellos, y en este país la gente —con todo el calor agazapado en la frase— es negra. Dejado a un lado, por ser blanco, incluso con aquellos que había elegido continuaba fuera, experimentaba el aislamiento de su infancia convertido en el aislamiento de su color.

No sé si Max me quería. Desde luego, quería hacer el amor conmigo. Y deseaba complacerme..., no, quería mi aprobación, mi admiración por lo que hacía. Estas cosas pasan por definiciones del amor, y puedo pensar en otras que no son ni más ni menos aceptables. Lo de vivir el uno por el otro, que se oye a menudo, y que podría parafrasearse como vivir por la visión del propio yo en los ojos de otro ser. Hay algo que mantiene juntas a dos personas; eso es lo máximo que me atrevería a decir. «Amor» es el nombre que me facilitaron para eso, pero no creo que encaje siempre en mi experiencia. Alguien le dio también a Bobo un apellido; ¿acaso no dijo «siento no haberle querido»? ¿Qué quiso decir? ¿Que no necesitaba a su padre? ¿O que no había evitado que su padre muriera?

Yo quería hacer el amor con Max, darle la aprobación que necesitaba, complacerle. Pero no se trataba de ver cómo tu marido ascendía por la escala salarial. Lo que quería era que hiciera las cosas adecuadas para poder amarle. ¿Era eso amor?

Max era magnífico en la cama, porque tenía una tendencia destructiva, una especie de pasión, un sexo demoníaco. Luego he hecho el amor con otros hombres, pero después de cada orgasmo experimentado con Max me decía que podría morir así. Y, naturalmente, de eso se trataba: la aniquilación, cada vez que lo hacíamos, de los silencios y los malhumores, del desorden y la frustración cotidianos. Nos mudamos de casa cuatro veces en los tres primeros años, cada vez por haber llegado a otra situación imposible: vivir en un piso de sólo dos habitaciones con un bebé, no poder alquilar un apartamento mayor con mi salario, no estar autorizados a recibir visitas de africanos en el edificio... y nunca había tiempo ni dinero para hacer que la casa fuera más que habitable. Todo nos había sucedido demasiado pronto; antes de que reuniéramos suficientes sillas, las que teníamos habían empezado a desvencijarse.

Fue Felicity Hare quien forró con una tela de algodón que había traído de Kenya las cajas de embalaje utilizadas para el traslado a un cobertizo arreglado en el patio trasero de la casa de unos conocidos. Utilizamos aquellas cajas como armarios y mesas. Allí teníamos espacio, y Felicity vivió algún tiempo con nosotros... Era una muchacha robusta, de rostro rubicundo, recién salida de Cambridge y que quería «hacer algo» por África. Había recorrido el continente de arriba abajo, de un territorio a otro, mediante presentaciones de amigos de otros amigos, corriendo siempre el peligro de que la deportara un gobierno colonial británico cuando se hacía demasiado amiga de los nacionalistas africanos, o acudiendo a un consulado británico en busca de protección cuando los gobiernos africanos querían deportarla por ser demasiado amiga de los miembros de su oposición. Usaba pantalones cortos y podía seguirte de una habitación a otra, hablando, sin importarle lo que estuvieras haciendo, apoyándose en un saliente o un ángulo de una mesa demasiado pequeña para sostenerla, con sus enormes y marmóreas piernas dobladas en un gran pedestal de carne. Hablaba en un tono confuso y conspirador:

—La verdad es que la mujer que se encargaba de ese sitio no era americana, sino danesa, y las niñas no podían seguirla, ¿sabéis?, no comprendían lo que les decía. Ésa es otra que no os he dicho... Proceden de unas veinte tribus diferentes, y a duras penas pueden entender el inglés. Pero es evidente que tocaron alguna tecla en el Departamento de Estado, porque ella no era en absoluto la persona que tenía que estar allí. Las chicas no aprendían nada, pero el viejo Alongi Senga...

—¿Quién es ése?

—Senga, el ministro de Educación, ¿sabes?, un cabrón estúpido. Matthew Ochinua dice que lo único que desea es inspeccionar las escuelas medias para poder pellizcarles el culo a los chicos. En fin, tuvo una pelea con los del Servicio de Especialidades...

Casi siempre finaliza sus explicaciones moviendo los senos y mirándose las manos, como si acabara de descubrirlas, unas manos pequeñas con el escudo algo mellado de la uña sobre la punta mullida de cada dedo: «Y así fue como...» «Así que me marché...».

Aquella muchacha prestó su ayuda escribiendo a máquina para Max, y dedicó mucho tiempo a sacar a la gente de lo que ella llamaba «líos» —principalmente después de las fiestas a las que asistía—; en su coche prestado se amontonaban los cuerpos exánimes que recogía y llevaba a casa, y pasaba la noche con muchachas cuyos hombres se habían ido con otras. Remendaba el forro del impermeable de Spears y le ayudaba en sus complicadas gestiones, llevándole en coche. Una noche me levanté y la encontré vestida, como si se marchara de excursión, y con un bote de spray. Me dijo que se iba a pintar eslóganes. Salió con una pequeña linterna para esperar a que la recogiesen sus compañeros de trabajo, quienesquiera que fuesen. Volví a la cama y se lo dije a Max.

—¡Una fiesta de medianoche para Sunnybunny! ¡Espléndido!

El absurdo juego con el nombre de la muchacha era invención de Max[1], quien la trataba, junto con Spears, con esa coquetería burlona y campechana que muestran los hombres hacia las mujeres poco atractivas.

—Spears no debería tomarle el pelo —le dije—, si continúa así, ella acabará persiguiéndole. Os adora a los dos.

1. Juego de palabras entre Felicity Hare (*hare* = liebre) y Sunnybunny o Sunbun, que equivale a conejo alegre o risueño. (*N. del T.*)

—¿Y por qué no? A Spears no le hace ningún daño, y nuestra Sunbun necesita un hombre.

Siempre nos pedía que la acompañáramos a las fiestas, pero eran unas fiestas frecuentadas por liberales blancos y busconas y rufianes negros, que iban para sacar lo que pudieran unos de otros. Me sorprendió que Max pareciera deseoso de ir en una o dos ocasiones. El trabajo que hacía con Spears no iba bien, y Spears se mostraba evasivo. Sin embargo, llegó a parecer una especie de manía para los tres —Max, Spears y la Conejita— eso de presentarse en las fiestas como un extraño trío. Yo no quise ir porque no podía aguantar hasta las tres de la madrugada sin beber demasiado, y si lo hacía no podía trabajar al día siguiente; si Max y Spears no adelantaban en su trabajo, por lo menos las fiestas proporcionaban una excusa.

A menudo, cuando regresaba a casa desde el laboratorio, encontraba a Max sentado, esperando, castigando a Spears con su espera como un niño cree que castiga al adulto que ni siquiera es consciente de que el pequeño está enfadado con él. Cuando Bobo alzaba la voz en la cocina, o gritaba en el baño, Max me dirigía una de sus miradas penetrantes. Yo mostraba el sosiego de las batas blancas y el trabajo rutinario, de la vida percibida como un frotis claro bajo el microscopio, igual que el borracho delata con su aliento el bar en el que ha estado.

Felicity permanecía a la espera, empeñada en dar una impresión de modestia.

—Mira, estaba desesperada, no se ha presentado en todo el día. He buscado una excusa para salir y explorar los alrededores, pero nadie sabía dónde estaba.

Me hablaba lo bastante bajo para que Max no pudiera oírla, como si no debiera conocer sus comentarios. Entonces llegaba Spears, y el tono desenfadado de sus excusas no se alteraba, tanto si Max estaba enfurruñado como si tenía un acceso repentino de buen humor y se comportaba como si no hubiera esperado a Spears hasta aquel preciso momento. Una noche en que sucedió esto —la llegada de Spears tras un largo retraso y un rápido aumento del buen humor de Max— Max se movió por la sala como un corcho arrebatado de la arena por una ola; abrió latas de cerveza, ofreció queso en la punta de un cuchillo, habló, ordenó unos papeles y señaló con el cuchillo a Felicity, diciéndole en un alegre e impaciente aparté:

—Vamos, menea ese culazo, Conejita, ya sabes dónde has puesto la lista que te di...

Tal era su modo de hablarle, y esta vez me sorprendió verla llorar. De repente comprendí que había hecho el amor con ella.

Allí estaba Max, en pie, con la hoja de acero empañada por la grasa del queso, haciendo gestos a la muchacha, y ella se apresuró a salir de la habitación con toda su carne —nalgas, senos— temblando; tenía un cuerpo especialmente móvil, como un pobre y pacífico animal atravesado por una lanza mientras pacía. Fui tras ella y tropecé con Daphne, quien sujetaba un vestido recién planchado que sin duda quería entregar a Felicity.

—Yo se lo daré —le dije rápidamente.

—¿Por qué llora? —inquirió Daphne, alzando el mentón; quería hacerme ver que también ella lo sabía.

Max dijo:

—No había manera de que me dejara en paz. El asunto empezó después de una fiesta, y de todos modos yo estaba bebido. Te ahoga con sus malditas tetas, y has de pelearte para verte libre de ella. Ésa es la manera más fácil.

Era cierto que no podía tener celos de Felicity. De haber sido una mujer que me inspirase celos, habría sido diferente. Pero había una sola razón por la que

Max hacía el amor con ella, y tanto él como yo la conocíamos. Max necesitaba aprobación y admiración hasta el punto de que estaba dispuesto a pagar por ello con un buen revolcón. Podría haberle perdonado que se acostara con una mujer a la que quisiera, pero no pude perdonarle la humillación en el gran cuerpo tembloroso de aquella mujer cuando salió corriendo de la habitación. Pensaba en ello cuando hacíamos el amor. Y no podía decírselo, porque yo misma no podía darle la aprobación y admiración que necesitaba.

Max rehuía los criterios de los Van Den Sandt sobre el éxito, pero de algún modo se le imponían, transmitiéndole, como los rasgos familiares de un mentón o una nariz, la pasión por el triunfo. No buscaba el éxito a la escala de su familia, pero retenía el deseo vindicativo de que le reconocieran, lo cual era herencia familiar: el deseo de destacar delante de alguien. ¿Con qué? Sus objetivos no podían exhibirse como se exhiben el dinero o el prestigio social. ¿Por qué será que esa gente siempre gana, aunque sólo sea por medio de la destrucción?

Hubo otras mujeres en su vida. Cuando tuvo que esconderse durante el estado de emergencia, en 1960, vivió con Eve King, oculto en su casa. Y antes de eso tuvo una aventura con Roberta Weininger, la hermosa Roberta, que está desde hace algún tiempo bajo arresto domiciliario. Estas aventuras amorosas me dolían, y en este contexto yo tuve uno o dos asuntos por mi cuenta. Supongo que pensaba en restablecer el equilibrio…, sí, era un recurso. Pero esto, una vez más, suponía echar mano de medidas que tenían muy poco que ver con nuestras realidades. Si hubiera sabido que no importaba cuántas mujeres tuviera Max, que eso no establecía la menor diferencia. El hecho de poder amar realmente o no a una mujer, yo o cualquier otra, no era en absoluto vital para él.

También Spears pasó a la clandestinidad, pero a otros miembros de «Umanyano Ngamandla» los detuvieron, y cuando salieron de la cárcel el movimiento se disgregó; la mayoría de ellos, incluso Spears, se unieron al ANC, entonces prohibido, y se convirtieron en un movimiento clandestino. Las notas para la metodología del socialismo africano se salvaron de las redadas efectuadas por las fuerzas de seguridad en la casa de campo en una de cuyas dependencias exteriores habitábamos, porque yo había metido todos los papeles en una bolsa de lavandería y los había tenido ocultos durante todo aquel tiempo en el laboratorio. Cuando Spears fue un día a verme le dije que estaban intactos, y él sonrió; los días de trabajo en la metodología pertenecían a otro tiempo. Décadas, siglos, eras..., ya no tienen mucho significado cuando la imposición de una ley de emergencia o la caída de una bomba cambia la vida de manera más profunda en un día de lo que uno podría esperar razonablemente experimentar en toda una vida. Spears ya no se daba a la bebida y ya no nos visitaba con frecuencia, como tampoco lo hacía William Xaba, otro amigo que siempre estaba entrando y saliendo de la casa de campo. Los africanos políticamente activos tendían a mantenerse alejados de las casas de los blancos, fueran éstos quienes fuesen, y a rechazar la amistad e incluso la intimidad con los blancos, como parte del privilegio de éstos. Max estaba por entonces en Ciudad del Cabo, en principio por tres meses que se extendieron a seis, trabajando en un nuevo periódico radical cuyos directores eran sustituidos con la misma rapidez con que eran proscritos. Bobo y yo fuimos allí a pasar dos semanas en Navidad, y cada día caminábamos los tres por la carretera que discurría a lo largo de los acantilados, por encima del mar, donde los pólipos y las algas marinas alcanzaban una gran profundidad en las aguas.

—Mira eso, mira eso —le decíamos a Bobo, pero su mirada de chiquillo se limitaba a seguir nuestros dedos y no veía más que sus extremos. Me pregunto si eran los papeles de la metodología socialista africana lo que Max llevaba consigo en la maleta.

Entre destellos heliográficos del sol en el agua, indescifrados, teníamos aún algunas conversaciones.

—¡Dios mío, cuando ves cómo viven las mujeres africanas! Saben esperar y mantenerse unidas con sus hijos. Tenemos que aprender de ellas todo lo que importa.

Sí, tenía razón, yo era una aficionada de la soledad, el estoicismo, la confianza.

—Tal vez, si alguna vez has de conseguir algo, tendrás que hacerlo totalmente solo.

Le dije eso una vez, sabiendo que ya desdeñaba el periódico en el que trabajaba y (mirando las algas marinas en el agua como flores aprisionadas en un pisapapeles de cristal) viendo el final de aquello como el final de cualquier otra cosa que él hubiera iniciado. Max no respondió.

Aquélla fue la última vez que vivimos realmente juntos. Él regresó a Johannesburgo, al final nos divorciamos y él desaparecía durante meses y aparecía de nuevo. Corrió el rumor de que había salido ilegalmente del país y entrado de nuevo. Yo no sabía con quién estaba, aunque supe por nuestro viejo amigo indio Solly que se había asociado durante algún tiempo con gentes que querían organizar un nuevo grupo revolucionario blanco en la clandestinidad.

Entonces el teléfono sonó a las once de la noche, y oí su voz:

—¿Liz? ¿Eres tú, Liz? Cuando salgan los periódicos... ¿Recibes el periódico de la mañana? Puede haber algo grande... No lo olvides.

Nadie sabe esto. Nadie en absoluto. Ni siquiera se

lo dije a los abogados, ni siquiera a Graham. Es lo único que queda de Max y yo, lo único que todavía hay entre nosotros. Esa voz, impetuosa y baja, a través del teléfono.

El agua lo cubre todo, pronto dejan de ascender burbujas.

«Había posibilidades, pero ¿bajo qué piedra? ¿Bajo qué piedra?»

La bomba de Max, que describieron en el juicio como un artefacto constituido por una lata llena de azufre, nitrato y carbón, se descubrió antes de que estallara, y le arrestaron en menos de veinticuatro horas. Otros tuvieron más o menos éxito y todo comenzó de nuevo, peor de lo que había sido antes; redadas, arrestos, detenciones sin juicio. Los blancos que eran amables con sus animales domésticos y sus criados se sintieron conmocionados ante las bombas y el derramamiento de sangre, del mismo modo que se habían conmocionado en 1960, cuando la policía disparó contra hombres, mujeres y niños en el exterior de la oficina de pases de Shaperville. No pueden soportar la visión de la sangre; y dieron de nuevo, a aquellos que carecen de voto, el humano consejo de que la manera decente de realizar el cambio debe basarse en los medios constitucionales. Los blancos de mentalidad liberal, cuyas protestas, peticiones y franqueza no habían conseguido nada, señalaron la ineficacia de los terroristas y el despilfarro insensato de sus atentados. No se puede confiar en hacer saltar de su asiento al gran trasero de alabastro con una bomba de hojalata. ¿Por qué arriesgar tu vida? «La locura de los valientes es la sabiduría de la vida.» No le comprendí hasta entonces. Locura, Dios mío, sí que la había, pero ¿por qué habría que obligar a los valientes entre nosotros a ser locos?

Algunos huyeron del país, a otros los tuvieron aislados en sus celdas y, cuando se negaban a hablar, los tenían de pie bajo interrogatorio, hasta que se derrumbaban. Algunos hablaron. A Max le juzgaron y sentenciaron a cinco años de cárcel, pero lo nombraron testigo del Estado tras cumplir quince meses de condena, y habló. Sabemos que le golpearon al principio de su detención, pero ignoramos con qué se vio enfrentado más tarde, a qué más le sometieron... pero habló. Habló de Dolly y Eve King, y del hombre al que arrestaron con él, habló de William Xaba y otros amigos con los que había vivido y trabajado durante años.

Ahora está muerto. No murió por ellos..., por la gente, pero quizá hizo más que eso. En sus intentos de amor perdió incluso el respeto por sí mismo, con su traición. Lo arriesgó todo por ellos y lo perdió todo. Dio su vida de todas las maneras posibles, y descender al fondo del mar es la última.

No tiene mucho sentido pasar demasiado tiempo con la vieja, mi abuela. Como tiene la memoria tan débil, importa poco que estés con ella media hora o dos horas; basta con que te vea. Alza la vista desde su estado de indiferencia, que es el pasado, y en la confusión del presente encuentra un rostro..., eso viene a ser todo. Me hice una taza de café para despejarme y luego recorrí los barrios residenciales con el coche, hasta el asilo. Era el intermedio de las sesiones matinales; los niños se apiñaban en las puertas de los cines, empujándose y tomando helados al sol. En uno de los cruces principales una familia blanca pobre ofrecía algodón de azúcar coloreado a lo largo de las hileras de coches. La gente correteaba en las pistas de tenis junto a las que pasaba, y llenaba las boleras. En todos los espacios libres se amontonaban los mismos envases rojos y vacíos de cerveza. Si me hubieran arrojado ahí desde la eternidad, habría sabido enseguida que era sábado por la tarde. Se veía en los rostros de la gente, el placer del fin de semana, como los dulces que aferraban las manos infantiles.

El asilo es una casa antigua cuyo estilo original, victoriano colonial con tejado de hierro, ha sido modificado en parte, eliminando unas partes y añadiendo otras. La entrada tiene puertas de acero y vidrio y plantas tropicales bajo luces disimuladas, pero en el descansillo del primer piso hay un oso negro de madera, como los que se utilizaban en otro tiempo para colgar paraguas de sus brazos, y otras supervivencias, primorosamente talladas, de los objetos con los que los nuevos ricos de Europa, hace setenta años, anunciaron el cambio de categoría desde buscadores de oro con éxito a magnates de la minería. Hay incluso una ventana de vidrio de colores, con unos pétalos coloreados como pastillas para la tos, unos iris de *art nouveau* delineados en grueso plomo.

Siempre me ha parecido que ese lugar produce una sensación de humanidad superior a la de cualquier edificio moderno diseñado para albergar una institución, pero cuando mi abuela lo pisó por primera vez, y todavía era capaz de fijarse en las cosas, se quejó de que era feo y anticuado. Le encantan los plásticos, las flores artificiales, la seda «simulada», el mármol sintético, el cuero falso. En el interior se perdía la noción del día de la semana; había la misma atmósfera cálida, con el ligero olor a alcohol desnaturalizado, que percibo en cada nueva visita como algo que había olvidado por completo desde la anterior. Los pasillos están cubiertos con algo que amortigua las pisadas, y pasas por las puertas de los pabellones, abiertas de par en par, donde no todos los pacientes están en cama, ni tampoco los viejos. Es un asilo para enfermos crónicos tanto como para ancianos. He llegado a conocer algunas de las formas incluso antes de reconocer los rostros, debido a la postura determinada que una dolencia obliga al paciente a adoptar en la cama o en una silla. Entre las ancianas muy menudas y de pelo blanco, la diabética moribunda, que tarda tanto en morir, seguía allí, encorvada en su rincón, fumando. Tiene el rostro de borracho inquieto que presentan a veces los diabéticos, y

parece como si en otro tiempo hubiera sido guapa...,
como una puta acabada. Pero a menudo la enfermedad
distorsiona las marcas distintivas de la casta social. El
asilo no es barato, y es improbable que esa mujer per-
tenezca a algo que no sea la respetable clase media. El
monstruo de vientre enorme estaba sentado en una
silla, con las piernas extendidas, como una rana muer-
ta hinchada en un estanque. Nunca he sabido qué le
ocurre.

En el suelo, a la entrada de la pequeña habitación
de mi abuela, había un jarrón con un ramo de flores.
Anémonas, fresias y campanillas de febrero, exactamente como las mías.

Abrí la puerta con suavidad y permanecí un momento inmóvil. La vieja estaba sentada en una silla, la
boca pintarrajeada con lápiz de labios y el cabello, que
siempre había mantenido corto, teñido y rizado, recogido atrás en un pequeño moño. La visten todos los
días, y en esta ocasión incluso le habían puesto el triple
collar de perlas y unos enormes pendientes en forma de
botones. Abrió los ojos y, a la luz que entraba por la
puerta abierta, vi que el terror se extendía por su rostro
y la boca perfilada de rojo se abría.

—¡Quién está ahí! —exclamó horrorizada.

—Vamos, no seas tonta, soy Elizabeth, tu nieta...

La enfermera se interpuso entre nosotras, pero le
dije:

—Déjala que me vea bien —y me acerqué a ella,
donde me iluminaba la luz de la ventana, la besé y le
hablé—: Aquí me tienes, no quería faltar el día de tu
cumpleaños...

Ella aceptó el beso y luego se retiró, todavía alar-
mada, y me miró, escrutadora.

—Eres Elizabeth, ¿verdad?, Elizabeth, querida
mía...

Aunque la enfermera afrikaans intervino con palabras tranquilizadoras y una alegre risa, la anciana le hizo caso omiso. Me hizo una seña para que me acercara de nuevo y volvió a besarme. Luego se llevó la mano a la boca, presionó un poco y dijo al aire, en tono enojado:

—¿Por qué no tengo puesta la dentadura si Elizabeth está aquí? ¿Dónde está mi dentadura?

—Verá, abuela, esta mañana tenía las encías irritadas, ¿no lo recuerda? No quiso ponérsela. Espere, se la traeré, pero primero quiero poner un poco de esa sustancia...

—¿De qué está hablando? ¡Démela!

La anciana aferró la mano de la enfermera y luego, ya con la dentadura en su poder, se concentró cuidadosamente en ella antes de decidir con lentitud cuál era la parte superior y cuál la inferior. La enfermera hablaba; supongo que es un alivio enorme tener alguna otra compañía además de una anciana senil.

—Siempre me sobresalta cuando alguien cruza la puerta. No sé por qué se asusta tanto, sabe..., desde los últimos ataques de angina. No sé a qué se debe, pero parece creer que alguien va a venir y llevársela... Siempre le digo —y ahora se volvió hacia la abuela, juguetona, complaciente—: «Nadie va a hacerle daño, mujer, ¿no es cierto? Créame».

Un ligero surco entre las cejas peladas indicaba que la anciana era consciente de algún ruido de fondo habitualmente molesto. Con la voluminosa dentadura postiza en la boca, habla con voz aguda, controlada, para evitar su distorsión, pero incluso así habla de un modo apagado y sibilante, como si lo hiciera a través de una médium.

—¿Y tu marido? ¿Está contigo o ha vuelto a irse? ¿Y Bobo? ¿Cómo está el muchacho?

Se olvida de que me he divorciado de Max, y si le dijera que ha muerto lo olvidaría también. En su habitación, de cuyas paredes cuelgan las fotografías dedicadas de artistas famosos (está rodeada de sus propias cosas), siempre parece que no ha sucedido nada, o que todo ha sucedido ya. Me senté bajo el retrato de Jascha Heifetz, que estaba ante Noel Coward y el menú enmarcado del almuerzo que compartió con él cuando se conocieron en 1928, y le dije que había visto a Bobo por la mañana y que le deseaba un feliz cumpleaños.

—¿Es mi cumpleaños? —preguntó, y lo repitió a intervalos de modo que tuve que explicarlo una y otra vez—. ¿Cuántos años he cumplido esta vez?

—Ochenta y siete —le dije, sin estar segura de la cifra exacta.

En su rostro apareció una expresión infantil, reliquia de la falsa simplicidad de su mundanería.

—Es horrible, demasiado tiempo... ¿Es mi cumpleaños? No lo sabía... No sé nada de nada.

Le di unas palmaditas en la mano, agitada por el pulso rápido. Le pintan las uñas de rojo, como ella solía hacer, pero el efecto, al igual que el collar de perlas, es reconocible no como un adorno familiar, sino como algo que le hacen.

—¿Has visto las flores que te envié? —le pregunté, y la enfermera intervino:

—No quiere tenerlas en la habitación. Le arreglé un ramo precioso, pero no quiere que estén cerca de ella.

—¿Por qué?... ¿Pero por qué no quieres las flores aquí?

El rostro de la anciana continuó inexpresivo.

—¿Huelen demasiado fuerte? ¿No te gusta el aroma? Me temo que no es la época del año adecuada para las rosas.

Solía hablar de lo mucho que le gustaban las rosas, quizá porque tenía muy poco interés en las cosas naturales, y las rosas eran una elección segura.

—Sí, creo que el olor le parece demasiado fuerte.

Debe de ser eso. ¡Traje aquí el ramo y se lo enseñé, pero ella no quiere quedárselo!

La abuela miró a la enfermera y luego a mí.

—¿Quién es ésa? —me preguntó, señalándola. La miraba con una expresión acusadora.

La enfermera empezó a ir de un lado a otro, sonriente, lisonjera.

—*Ag*, abuela, soy yo, la hermana Grobler...

Pero la abuela rechazó la explicación con un movimiento impaciente de los músculos faciales, y me dijo:

—¿Quién es? ¿Qué está haciendo aquí?

Se lo dije, y mis palabras parecieron satisfacerla. Entonces preguntó:

—¿Es buena conmigo?

Le dije que sí, claro que era buena con ella. La enfermera emprendió un recitado de sus actividades con un sonsonete, como si tarareara una canción de cuna:

—Le hago la cama, la baño, le hago un bonito peinado, le preparo el cacao...

Pero, una vez más, la buena mujer no existía para mi abuela. De vez en cuando retorcía las manos con sus profundos hoyos entre los nudillos, unas manos que no han trabajado jamás, y en las que mi abuela solía derrochar orgullo y cremas. Ha vivido de rentas toda su vida (su padre fue un ingeniero socio de Rhodes y Beit) pero, según dice mi madre, no dejará nada detrás de ella, pues los gastos de su senilidad se están comiendo todo su capital. El capital de mi abuela ha sido una fuente de rencores en casa, desde que tengo uso de razón. Mi abuelo materno no dejó ninguna provisión específica para sus hijos, y el matrimonio de mi madre con un hombre sin fortuna coincidió con el segundo matrimonio de mi abuela con un hombre no mucho mayor que el de su hija, en el que gastó la mayor parte de su capital y, desde luego, todo lo que habría podido

84

esperarse que ofreciera para el progreso de su hija. Habría sido útil que le dejara algún dinero a Bobo, pero no dejó nada. Curiosamente, nunca compartió la actitud de mis padres con respecto a la manera en que Max y yo vivíamos, y, poco enterada de la naturaleza de los apuros de Max como marido y proveedor, puesto que mi madre no le informaba demasiado, parecía suponer que era simplemente un muchacho animoso y obstinado, una suerte de aventurero encantador (ella había conocido a varios así) adaptado a los tiempos actuales y de cuyas características ella aún no estaba al día.

Para mis padres fue en extremo gratificante que «emparentara» con los Van Den Sandt, aunque estropeé un tanto la dignidad de la unión al quedar embarazada antes de la boda. Sin embargo, aunque la gente de nuestra ciudad pudiera decir con razón que había tenido que casarse conmigo, el hijo de un rico miembro del Parlamento era un yerno que a la mayoría de ellos les habría gustado para una hija propia. Ahora mis padres estarán igualmente complacidos de saber que ha muerto. ¿Es demasiado crudo decir semejante cosa? El hijo de un rico miembro del Parlamento..., eso era lo que esperaban de Max, y no lo obtuvieron. ¿Pero acaso no esperé yo, a mi manera, algo de él que no podía ofrecerme? El verano en que cumplí diecisiete años, cuando conocí a Max, ayudé a mi padre durante la temporada navideña. En el mostrador se amontonaban los artículos de regalo, posavasos pintados, relojes de cuco baratos y relojes de pulsera, jarrones de color rojo oscuro con la parte superior aflautada y dorada, lápices en forma de puente japonés con borlas, sacacorchos alemanes con cabezas de perro, figuritas de porcelana. Las dependientes entraban y compraban esas cosas con el dinero que habían ganado en otras tiendas, vendiendo artículos similares. Los negros se pasaban largo rato mirando los relojes antes de decidirse por uno, que pagaban con billetes muy doblados, para hacerlos entrar en la hucha, y que devolverían al cabo de una semana, porque aquellos relojes no funcionaban bien. Y no había ningún producto de la habilidad humana, salvo lo que tenía delante en la tienda de mi padre, pero sabía que debía de haber cosas mucho mejores que aquéllas, y un objetivo en la vida menos vergonzoso que el de endosárselas a personas que no tenían nada mejor que desear. La mala calidad era mi deprimente secreto. Y luego descubrí que Max lo sabía todo al respecto, que la casa en la que vivía, y todo lo que le acompañaba, su entorno, aunque más ricos y sin una fealdad tan palmaria, también formaba parte de la ostentación vulgar, y esta calidad de vida era al parecer lo que había llevado a nuestros padres y abuelos a participar en dos guerras en el extranjero y matar negros en las guerras «nativas» de conquista en su propio país, para darnos seguridad. La verdad y la belleza... Dios mío, eso es lo que pensé que él encontraría, eso era lo que esperaba de Max.

Cuando mi abuela muera, Bobo recibirá el reloj de oro y la cadena de su padre que Beit le dio a él.

Como me ocurre siempre, tras los primeros cinco minutos con ella, no sabía que decir. Escrutando su rostro inexpresivo, en busca de lo que yace perdido en su interior, extraje de su estupor senil el placer que le producían en otro tiempo calles y ciudades, y le describí un imaginario recorrido de compras que había hecho por la mañana.

—Buscaba un vestido para la noche, pronto hará más calor y quería algo ligero, pero con mangas...

Lentamente su atención salió a la superficie y se afirmó.

—¿Qué se lleva este año? ¿Está de moda el negro?

—Pues no. Pensé que me gustaría blanco, pero no un blanco opaco...

Ella se inclinó hacia delante y dijo en tono confidencial:

—No resalta el rostro.

—Sí... pero más bien blanquecino, algo suave y sencillo.

—Siempre en la tintorería, querida. Sólo lo puedes llevar una vez. ¿Y has visto lo que querías?

—He ido de una tienda a otra... Había demasiada gente. No debería pensar en comprar ropa en sábado. He tomado café en Vola... ¿recuerdas? Te gustaba el café que hacen allí. ¿Y el día que te llevaste a Bobo a almorzar y robó los panecillos de la mesa vecina...?

Su sonrisa se inició muy lentamente, rompiendo la línea de la boca, ladeada, y entonces llenó todo el rostro vacío, habitándolo de nuevo. Las dos nos reímos.

—«Sírvete, abuela, sírvete abuela.» —El recuerdo surgió con precisión; citaba a Bobo.

—¿Lo ve? —terció la enfermera—. ¡Mire qué animada está! ¡Cómo puede recordar cosas bonitas cuando quiere! Cuando viene su nieta puede decir cosas bonitas de veras... pero cuando está sola conmigo tiene pereza...

Sus brazos rollizos y encarnados tenían los codos puntiagudos, en forma de huesos de melocotón, y los agitaba al hablar.

El estupor volvió a nublar la expresión de la anciana. Seguí charlando, pero ella se limitó a mirarme parpadeando lentamente, a medias perpleja y a medias indulgente. Yo le hablaba, pero había una dignidad definitiva, sólida, en su manera de ignorarme. Era cierto que yo no decía nada digno de tenerse en cuenta.

—¿Qué ha pasado? —preguntó de repente.

No hay nada que decir.

Ahora sólo formula las preguntas que nunca tienen respuesta. No puedo decirle que se va a morir y que eso es todo. Ha tenido todas las cosas que se han inventado para suavizar la vida, pero no parece que se haya hecho nada para que la muerte sea más soportable.

—¿Qué voy a hacer si ya no puedo salir nunca más?

—Quizá podrías salir. Una tarde podría llevaros al cine, a ti y a la hermana Grobler.

—¿Pero entenderé la película? ¿Qué haré entonces?

—Quédate aquí, tranquilamente... —le dije con una absurda sonrisa consoladora.

—Pero dime, ¿qué ha pasado?

—No ha ocurrido nada. Todo va bien. Es sólo la edad, cosa muy natural, muy normal. Tienes ochenta y seis u ochenta y siete... es una edad muy avanzada.

Pronto terminó la hora que yo misma me había impuesto y me despedí de ella con las sonrisas habituales y la promesa de que volvería a visitarla la próxima semana (si no voy en un mes, será lo mismo para ella).

—Es la edad, la edad —repetía—, demasiada edad, tú me enseñas...

Cuando salí del asilo oí el eco de mis propios pasos tras el silencio de los corredores, rápidos, secos, ligeros, estimulantes... y un poco crueles. En los muros del viaducto bajo el que he de pasar camino de casa, vi de nuevo el signo de la flecha y la lanza que lleva ahí largo tiempo, todavía con restos de pintura roja, y un mensaje sin concluir: LA TORTURA ES EL FIN... Tal vez es una de las pintadas de la Conejita. A quienquiera que fuese le interrumpieron. Se iniciaba una puesta de sol como las que teníamos desde hacía meses. Los edificios y los postes telefónicos se recortaban negros contra un cielo de acuarela, en el que iban extendiéndose nuevas capas de color, cada vez a mayor altura. Nunca hemos visto el cielo tan alto; cada día los colores ascienden más y más, se intensifican hasta llegar a un violeta rojizo tras el cual llega por fin la noche. La gente sale con sus bebidas al exterior, no tanto para mirar la luz como para estar en ella. Está por todas partes, rodeando rostros y cabello como rodea a los árboles. Procede de una erupción volcánica al otro lado del mundo, de partículas de polvo que han ascendido a la atmósfera superior. Algunas pesonas creen que se debe a pruebas atómicas, pero dicen que en África estamos a salvo de la precipitación radiactiva del hemisferio septentrional a causa de las calmas ecuatoriales, una zona en la que los elementos permanecen serenos y no pueden acarrear polución.

GRAHAM estaba en casa. Había llegado a las seis, cuando yo me dedicaba a cortar cebollas para los filetes de cerdo, y fui a abrir la puerta con el cuchillo en la mano mojada. Por la mañana le había dicho que cenaría fuera... pero no podía hacerse nada al respecto. Mantuve mis manos, que olían a cebolla, rígidamente apartadas. Él tenía mi periódico, que había recogido de la esterilla, y mientras veía por un ligerísimo movimiento de las comisuras de su larga boca que me comprendía, dijo:

—Así que los americanos también lo han conseguido. Han hecho caminar a un hombre por el espacio. Mira esto. —Como no podía tocar el periódico, torcí el cuello para ver las fotos en primera página de una vaga criatura en posición fetal, unida por medio de una especie de cordón umbilical a un vehículo no menos vago—. Ojalá no imprimieran fotos de prensa en color. Se vería mucho mejor si estuvieran en blanco y negro. Parece un dibujo de los tebeos de Bobo.

Entró en la sala de estar, desplegando el periódico mientras yo cerraba la puerta de la cocina y me metía en el baño para lavarme las manos. Entretanto él leía los subtítulos y fragmentos del largo reportaje:

—Le ordenaron varias veces que regresara a la nave,

pero él parecía pasarlo muy bien allá afuera... Le dieron una orden terminante: «Déjate de bromas»... Se acabaron las galletas..., las migas de unos panecillos de maíz de estilo sureño plantearon un pequeño problema...

Me reí e hice unos comentarios mientras me frotaba las uñas. El olor no desaparecía. Regresé a la sala de estar, frotándome las manos con loción, y allí estaba él, en su sillón habitual; ya no era necesario, ni posible, buscar una excusa o explicación. Sólo yo podía notar aún el olor de la cebolla, si acercaba las manos al rostro.

—He venido andando —me dijo—. ¿Sabes que no se tarda más de veinticinco minutos?

—Supongo que no. La mayor parte del camino es cuesta abajo. ¡Pero volver será otra cosa! ¿Recuerdas aquel día de Pascua cuando mi coche se estropeó y regresé a pie desde tu casa?

—¿Cuándo fue eso? ¿Cómo es que no te acompañé?

—Le habías prestado tu coche a ese tipo del Consejo Mundial de Juristas, ¿no te acuerdas?

—Ah, sí, Patten. Bueno, tomaré un trago y emprenderé el largo viaje antes de que oscurezca demasiado.

—No, yo puedo llevarte. Dispongo de mucho tiempo para vestirme.

Ahora que no podía explicárselo, era muy fácil mantener una mentira.

—Estupendo —dijo él, sonriendo con naturalidad, y se levantó para sacar la botella de whisky del aparador. Él aporta el whisky; yo no puedo permitírmelo.

Fui a cerrar las puertas del balcón, porque empezaba a hacer frío. La extraordinaria puesta de sol seguía enmarcada allí, una imagen romántica que eclipsaba la sala, haciendo que su aspecto pareciera deslucido.

—Es grandioso —comentó.

—Me estoy acostumbrando a ese espectáculo.

92

Siguió mirando, por lo que no podía cerrar las puertas, y esperé a que él se saciara, como un funcionario paciente en un museo.

—Pero me gustaría ver unas cuantas vacas y unos amantes flotando por encima de Fredagold Heights —añadió.

Tiene un dibujo de Chagall colgado en su dormitorio, algo curioso, a la manera en que ciertas mujeres tienen un grabado de Marie Laurençin en el suyo. ¿Por qué no en la sala de estar? Existe una visión privada, una versión de la vida con la que no se corresponde la pública, o a la que no se admite el acceso del público. Y, no obstante, él nunca se había interesado por Chagall hasta que un cliente rico le dio el dibujo. Entonces lo colgó en el dormitorio.

—Supongamos que sea precipitación radiactiva —le dije.

—¿Y qué? —A veces es un poco condescendiente conmigo, aunque no de un modo ofensivo.

—Entonces no es bello, ¿verdad?

—En la belleza no interviene para nada la moral.

Sonrió, porque teníamos lo que él llama una «charla de estudiantes».

—La verdad no es la belleza.

—Aparentemente no.

Cerré las puertas, pero no pude correr las cortinas. Él se sentó con el vaso en la mano, de cara al panorama.

Yo apenas me fijaba ya en aquellas puestas de sol, pero la atracción de Graham atraía la mía como te llama la atención ver a alguien absorto en la audición de una pieza musical que has oído con demasiada frecuencia y has dejado de escuchar. Miré el espectáculo, sólo porque él también lo miraba, y le dije:

—Si se trata de precipitación radiactiva, hay algo horrible en mirarlo de esa manera.

—¿A ti qué te parece?

—Es como el fondo de un enorme paisaje victoriano. Algo con una cita debajo llena de referencias al Alma, la Gloria de Dios y el Infinito, algo que debería tener un marco dorado con volutas y diez kilos de peso. Es lo que a mi abuela le hubieran puesto como modelo de belleza cuando era niña. Esa clase de estilo. No tiene nada que ver con nosotros, ni con las bombas.

—Tiene algo de postal, pero aun así...

—Todos los amaneceres y las puestas de sol en todos los álbumes contenidos en una sola imagen. La apoteosis de la postal. Imagina una fotografía en color de esta puesta de sol exhibida dentro de cien años. Las cosas ya no son así entre nosotros, en absoluto.

Ahora la oscuridad cubría la textura del espacio violeta. Salió una estrella brillante, como una astilla de vidrio. En general, cuando digo algo que no atrae especialmente a Graham, pero que lo considera juicioso, dice: «Tienes algo de razón en eso». No me irrita exactamente; es uno de los indicadores en los que leo lo que piensa de mí. Cuando la gente se conoce tan bien como nos conocemos él y yo, esto sucede de un modo constante, al margen de aquello de lo que se hable. No importa que se discuta de política, se chismorree sobre los amigos o se planeen unas vacaciones, pues lo importante es el cambio constante y el mantenimiento del equilibrio, la repetición interminable del papel que cada uno ha elegido en secreto para que el otro lo represente, y que el otro procura en secreto representar como si fuera lo más natural para él. Aunque sé que soy una mujer muy inteligente —con mucho la mujer más inteligente que ha conocido en su vida— y que una relación con una mujer de mi clase implica la aceptación no sólo de la igualdad intelectual, sino también un sentido común contemporáneo (nada del afecto condescendiente hacia la inteligencia femenina precoz), a pesar de esto, incluso cuando sostengo mi criterio en una discusión un poco mejor que él, hay en mí una especie de mirada hacia atrás, un examen de mi actuación ante él. Y Graham, a su vez, oculta su esperanza de intrigarse por la capacidad de una inteligencia femenina, esa capacidad que se da racionalmente por supuesta. En Europa, el año pasado, cuando discutíamos sobre los cuadros y los edificios que veíamos juntos, en nuestras charlas cenando con amigos, en su casa o en mi piso, hablando de política, como hacemos casi siempre, en el fondo él me engatusa, yo alardeo ante él, le engatuso a mi vez y representa su papel para mí.

Mientras hablábamos era consciente, como si fuera algo independiente de los dos, de que iniciábamos ese otro diálogo conciliador, por debajo de nuestras palabras. Nuestras voces proseguían, un poco torpemente, pero, como la luz cambiante en las representaciones de *son et lumière* que vimos en Francia, iluminando, al margen de la narración, el escenario real de los acontecimientos, que se movía desde las paredes a la entrada, el patio y la ventana, la luz y la sombra de lo que realmente ocurría entre nosotros proseguía como de costumbre, en silencio.

Entonces, en vez de decirme «en eso te doy un poco la razón», Graham preguntó:

—¿Cómo dirías que están las cosas entre nosotros?

Por un instante me pareció que se refería a todo aquello que evitábamos de un modo tan competente, que era una pregunta sobre nosotros dos, la mentira con la que me había sorprendido entre mis manos.

No supe que decirle.

Pero era una pregunta sencilla, impersonal, con el tono del juez que ejerce la prerrogativa de ignorancia judicial, no la partidista del abogado que interroga. Se produjo lo que sólo puedo describir como un paro energético entre nosotros; las voces proseguían, pero la actuación verdadera se había detenido en la oscuridad.

—Me parece que es difícil definirlo —repliqué—. ¿Cómo podríamos describir...?, ésta es la época de qué... No en cuanto a los progresos técnicos, porque eso es demasido fácil y no basta para cubrir nuestras necesidades, las de la gente, ¿no crees?

—Hoy, por ejemplo —dijo él, serio, vacilante, comprensivo.

Sí, hoy mismo. Esta mañana conducía por la estepa y era exactamente la estepa, el sol, la mañana invernal de hace nueve años, para mí y para Max. La mañana en que nuestras vidas eran un rumor distante en el futuro, como los aviones son un rumor distante en el cielo (había un gran campo de adiestramiento de la fuerza aérea cerca de mi casa, durante la guerra). Crecer, tener un empleo, casarse, rezar al rubio Cristo en la iglesia de los blancos, darle a la nodriza tu ropa vieja. Esta misma mañana y nuestras vidas estaban aquí, y Max había estado en la cárcel, estaba muerto y yo no era una viuda. ¿Qué había ocurrido? Eso era lo que preguntaba la anciana, mi abuela. Y mientras conducía por la estepa para ver a Bobo (Max oía graznar a los patos, empeñados en una conversación que nunca comprendió) un hombre andaba por el espacio.

—Graham, ¿cómo diablos crees que llamará la historia a esta época?

—Acabo de leer un libro que se refiere al nuestro como al último mundo burgués. ¿Qué te parece eso?

Me eché a reír. Aquellas palabras recorrieron mi piel como la brisa sobre el agua, y tuve esa sensación que se obtiene a veces de ciertas combinaciones de palabras.

—Tiene una agonía agradable. Pero eso es una combinación política, no sirve.

—Sí, pero el autor (es un alemán oriental) lo utiliza en un sentido más amplio y cubre las artes, las creencias religiosas, la tecnología, los descubrimientos científicos, la manera de hacer el amor, todo...

—Pero entonces excluye al mundo comunista.

—No, en realidad no —le encanta darme una explicación concisa—, existe en relación con el mundo comunista inicial, llamémosle así. Al definir uno, asumes la existencia del otro, por lo que ambos forman parte de un fenómeno histórico total.

Le serví otra copa porque quería que siguiera adelante, y aunque igualmente pensaba proseguir, la aceptó.

—¿Has trabajado toda la tarde o has estado durmiendo?

Pero sabía que había estado trabajando, y él lo admitió con una media sonrisa seca y aturdida, que reflejaba su encierro en una habitación entre documentos, como un monje que, durante su noviciado, cuando todavía hace algunas salidas al exterior, es reclamado por el silencio de la celda que nunca ha renunciado a él. Ni siquiera la noche de amor del viernes había hecho que Graham se sintiera soñoliento por la tarde; en aquella habitación suya escribía y hablaba con el dictáfono, a solas con su propia voz. Le he oído algunas veces al otro lado de la puerta; es como quien dice una plegaria.

Le mencioné que había visto el signo de la flecha y la lanza en los muros del viaducto, cerca del asilo.

—No me sorprende. Creo que han pintado algunos más por la ciudad. Hay alguien valiente, o temerario.

Me dijo que la semana pasada condenaron a una joven a dieciocho meses por pintar el mismo símbolo, pero, naturalmente, en El Cabo condenan a hombres y mujeres negros a tres años por delitos como dar diez chelines de gasolina para un coche conducido por un miembro del Congreso Nacional Africano.

—¿Crees que es correcto usar esa lanza como símbolo? Cuando piensas en quién tuvo la idea original...

Durante un juicio político reciente se puso de manifiesto que ese símbolo concreto de resistencia había sido invención de un agente provocador y espía de la policía. A mi modo de ver, deberían haber buscado otro símbolo. Graham se rió.

—No creo que los motivos del inventor tengan mucho que ver con ello. Al fin y al cabo, fíjate en las agencias de publicidad. ¿Crees que quienes acuñan los reclamos que venden creen en lo que están haciendo?

—Supongo que no, pero es extraño, una situación rara. Nunca se me había ocurrido que sería así.

Permanecimos un momento en silencio. Durante estas pausas, en las que estaba presente el pensamiento de Max, Graham se quedaba, por así decirlo, con la cabeza considerablemente vacía. No había nada que decir acerca de Max, pero de vez en cuando, como el agua silenciosa que acude a tocar tus pies en una playa oscura por la noche, surgían su muerte o su vida, y una observación trivial se convertía en una referencia a él.

—¿Han llegado bien las flores para tu abuela? —preguntó Graham.

Le dije cómo las tenían fuera de la puerta, y cómo la anciana había gritado cuando vio una figura en la entrada.

—Es natural tener miedo de la muerte —comentó él, como si aconsejara una dosis de jarabe de higos para Bobo (uno de los gestos paternales que tiene a veces audazmente).

—Quizá, pero ella no ha tenido nunca que soportar lo que es natural, ni cabellos grises ni tiempo frío. Es cierto... Hasta hace dos o tres años, cuando se volvió senil, no había vivido un solo invierno en quince años... Huía del invierno de Inglaterra a nuestro verano, y del invierno de aquí al verano en Inglaterra. Pero ahora no hay nada que pueda ayudarla.

—Como el resfriado común —dijo él, levantándose

de repente y mirándome, casi divertido, casi aburrido, acusador. Así es como rechaza una conversación o toma una decisión.

—¿Puedes llevarme ahora?

Pero no comprende. Dado que tienes que morir, deberías estar dotado de un sentido perfectamente ordinario de haber tenido cuanto deseabas. Un mecanismo como el que controla otros apetitos. Uno debería saber cuándo ha tenido bastante..., como la sensación que se tiene al final de una comida. Es así de sencillo y ordinario.

Le llevé a su casa. Su nombre está en la placa de bronce bellamente pulido en la entrada, y al anochecer los sirvientes encienden un farol de hierro forjado sobre la puerta de teca. Cuando bajó del coche, le pregunté si podríamos cenar juntos al día siguiente. La mentira no supuso ninguna dificultad; no parecía importar en absoluto, todo era vago y, de algún modo, distraído entre nosotros. En cuanto le dejé, regresé a casa como un murciélago salido del infierno, sintiéndome gratificantemente hábil al tomar las curvas, como me ocurre cuando he tomado una bebida fuerte con el estómago vacío. Tenía que seguir adelante, acabar de pelar las cebollas y bañarme antes de las siete y media.

Había dicho hacia las siete y media, pero podía contar tranquilamente con que serían las ocho, por lo que disponía de mucho tiempo

Esperaba a Luke Fokase, que había telefoneado el jueves al laboratorio.

—¿Qué, muchacha, cómo van las cosas? Ir tirando. ¿Qué te parece si me dejo caer por tu casa el sábado? Sólo voy a estar aquí poco tiempo, pero creo que podré encontrar un hueco.

No usamos nombres por teléfono. Le dije:

—Ven a casa a cenar.

—Muy bien. Ahí estaré.

—Hacia las siete y media.

No sé por qué se lo pedí de nuevo. Preferiría que me borrara de su lista de visitas, que me dejara en paz. Pero añoro sus rostros negros. Me olvido de la confusión en el patio trasero de la casa, las decepciones y los malentendidos, y no quedan más que los buenos tiempos, cuando William Xaba y los demás se sentaban todos los domingos bajo el albaricoquero y Spears venía y me hablaba mientras yo cocinaba para todos. Todo eso vuelve a mí como un sabor que no había vuelto a probar desde entonces, y todo en mi vida presente es por un momento automático, como si hubiera despertado en un lugar extraño. Y, no obstante, sé que no servía de nada, como cualquier otro lujo, pues la amistad desinteresada es algo que sólo los blancos se pueden permitir. Debería aferrarme a mi microscopio y mi abogado y considerarme afortunada por no haber tenido los redaños para correr el riesgo de acabar como lo hizo Max.

Luke no es uno de los viejos amigos, pero su compañero, Reba, conocía a Max, y así es como los dos llegaron hasta mí. Viven en Basutolandia, aunque, desde luego, ambos son de aquí, pero de algún modo pudieron probar su derecho de ciudadanía basuta y presentar documentos de la Administración británica. Reba tiene un negocio de construcción y transporte y envía su viejo camión con toda libertad arriba y abajo, entre Maseru y Johannesburgo, con cargas de material de construcción de segunda mano. Parece ser que proporciona un servicio de autobús sin horarios para políticos en huida, e incluso transporta gente en la otra dirección, llevándolos hasta la frontera de Bechuanalandia. Una noche, hace unos quince meses, Reba llegó a mi piso en plena noche; el camión se había averiado con dos tipos dentro, a los que se había comprometido a escoltar aquella noche al otro lado de la frontera, y no tenía bastante dinero para pagar las reparaciones. Yo sólo le había visto en una ocasión anterior, con Max, y no estaba segura de que supiera realmente quién era, pero le presté todo lo que tenía, ocho libras. Lo hice con temor —fácilmente podría haber sido una trampa policial— pero aún me daba más miedo no hacerlo. ¿Cómo podría alguien como yo arriesgarme a que dos africanos perdieran su oportunidad de huir?

Tenía consigo aquella noche a un joven rollizo con el rostro muy negro y suave, casi de africano occidental, y enormes ojos almendrados y engastados en las anchas aberturas de la piel negra, como los ojos pintados de las sonrientes figuras etruscas. Ése era Luke. Reba es un hombre menudo, de color vaselina, la cabeza metida entre los hombros como la de un jorobado y una gran mandíbula llena de dientes que mostraba al reír en silencio, atento mientras le hablabas, como un hipopótamo mantiene la boca abierta para que los pájaros le limpien los dientes. Eran un par encantador en extremo y daban la impresión de ser muy poco dignos de confianza. No esperaba volver a ver el dinero, pero recibí una carta certificada con los billetes y una nota de agradecimiento estúpidamente firmada: «Tuyo en la lucha, Reba Shipise». Desde entonces Luke aparece de vez en cuando. Dice alternativamente, al parecer sin recordar de una visita a otra la última explicación que me dio, que Reba está demasiado ocupado con su negocio o que Johannesburgo se ha vuelto «demasiado caliente» para él. ¿Qué importa? De todos modos, no es asunto mío. Los dos son también miembros del PAC; y Max y yo, como la mayoría de izquierdistas y liberales, siempre apoyamos a los seguidores del ANC porque no son «racistas» y no nos excluyen, pero el Gobierno no hace ninguna distinción clara entre los que dicen que quieren arrojar al hombre blanco al mar y los que se limitan a querer su voto mayoritario…, tanto unos como otros pueden pudrirse juntos en la cárcel. ¿Qué importa también el hecho de que pertenezcan al PAC más que al ANC? Todos los mezquinos escrúpulos de los días que precedieron a la prohibición de los partidos políticos negros ahora parecen fuera de lugar.

No cocino con frecuencia una comida como es debido, a menos que Bobo venga a pasar unos días de vacaciones a casa. Graham puede permitirse el lujo de que comamos en un restaurante, o podemos hacerlo en su casa, donde hay un cocinero…, no tengo que tomarme la molestia de empezar a trabajar en la cocina cuando vuelvo a casa del laboratorio. Así pues, el simple hecho de cocinar algo que requiere más habilidad y organización de las tareas que freír un huevo, constituye toda una ocasión para mí, al margen de quien sea la persona invitada a comer. En cualquier caso, Luke Fokase siempre está hambriento. Aquella primera noche que llegó con Reba, se sentó y dio buena cuenta de un poco de pizza fría que tenía en la nevera. Los filetes de cerdo enterrados en montones de cebolla finamente cortada son también un plato complicado de preparar, pero lo pasaba bastante bien disponiéndolo todo de manera que luego sólo tuviera que ponerlo al fuego, poco antes de que quisiéramos comer. Abrí una botella de vino tinto español que Graham había guardado por si alguna vez había algo para comer que mereciera la pena ese acompañamiento, el vino es muy importante para Graham. He observado que una buena comida, buen vino y luego hacer el amor son cosas que van unidas para él, y no disfruta realmente de lo último sin lo primero. Me llevé una copa al cuarto de baño y la tomé en la bañera. El rojo oscuro, violáceo de vino era delicioso en contraste con las baldosas. Tenía allí el periódico y leí completo el reportaje sobre el vuelo espacial, del que Graham había leído fragmentos. No decían nada sobre Max; ya había desaparecido de aquella última edición.

Estuve vestida y lista mucho antes de que Luke llegara, y no sabía en qué pasar el tiempo. Hay muchas cosas que debería hacer cuando tengo tiempo, pero una pequeña cuña de tiempo como ésta no sirve de mucho. No podría terminar cualquier cosa que comenzara. Nunca podría llegar a la mitad de una carta, y cuando la tomara de nuevo, el tono no coincidiría.

Y, no obstante, poner un disco, servirme otra copa de vino y sentarme —algo que parece delicioso— hizo que me sintiera como si estuviera en un escenario ante una sala vacía de público. Busqué el libro que había leído por la mañana en la cama. Desde donde me detuve, a mitad de la página en la que un justificante de la tintorería señalaba el punto, estaba la muerte de Max; me parecía un libro diferente, no puedo explicarlo..., parecía totalmente distinto ahí, en esa cámara íntima donde oyes la voz de un escritor detrás de la circulación corriente de las palabras. La voz seguía y seguía, pero tropezaba consigo misma, como un eco lanza una ola de sonido adelante y atrás, encima de otra. Leía las palabras y las frases, pero mi mente vibraba con un único impulso eléctrico: la muerte de Max. En cuanto abandoné el intento de leer, todo estuvo bien de nuevo. Ni siquiera pensaba en él. A través de las paredes se oía el ruido apagado de los cubiertos a la hora de la cena en los pisos que flanquean el mío, y el estrépito de la radio de alguien a todo volumen. Oía los portazos de los coches, y el aire claro de invierno que hacía juegos malabares con las voces. Nuestras luces resplandecían ante Fredagold Heights, y las de allí brillaban ante nosotros. Vi el bote de cola sobre el cenicero (lo tenía allí para pegar la suela de un zapato, desde hacía unos días), y recordé que nunca me había puesto a reparar la cabeza del amuleto en forma de mandril que le traje a Bobo de Livingstone, camino de casa a mi regreso de Europa, el año pasado. Cuando lo saqué de la bolsa de viaje estaba roto, y, tras mostrárselo al niño, lo guardé entre mis cosméticos, y le dije que le arreglaría el morro. Fui al dormitorio y lo encontré allí, en el fondo de un cajón. También le había saltado una de las «judías de la suerte» que tenía por ojos, pero la encontré también, entre la pelusa y el polvo. Hacen esos animalillos con alguna piel inidentificada (¿meerkat?, ¿rata?), bien observados, con una cola obscenamente arqueada, y una expresión casi humana en los ojuelos hechos con semillas empotradas en el rostro tallado en un trozo de madera blanda. Pegué con mucho cuidado las dos superficies rotas y las presioné con firmeza. Rasqué con la uña la línea de pega apretada a lo largo de la fisura y luego le sostuve con fuerza el morro y la cabeza mientras se producía la fusión; nadie habría dicho que había sido reparado. Empecé a pensar en que un día compraría álbumes y pegaría las fotografías de Bobo cuando era un bebé, que están desperdigadas en viejas sombrereras encima del armario del baño. La mayor parte de las otras, aquellas en las que aparecía de chiquillo, desaparecieron junto con los papeles personales y los recortes, durante las redadas de las fuerzas de seguridad en la vieja casa de campo, y nunca he podido recuperarlas. Pegar las fotos de Bobo en un álbum y anotar las fechas y los lugares donde se tomaron me pareció de súbito posible, me entusiasmó, como si la clase de vida en la que una hace estas cosas volara hasta llegar a su lugar a nuestro alrededor, conjurada por ese acto. Tenía hambre y las tripas me hacían ruido; tenía los dedos viscosos de pegamento, y acababa de servirme otra copa de vino, cuando se oyeron unos golpecitos suaves en la puerta, primero dos y, tras una pausa, cuatro seguidos. Luke no llama a los timbres.

Tampoco le preocupa que le vean. Sé que entra directamente por la puerta principal del edificio, de modo que el vigilante, sentado en su casilla a la caza de visitantes furtivos que suben a las habitaciones de los criados en el tejado por la escalera trasera, no le molesta, y si se encuentra con la portera, cosa que curiosamente nunca ha sucedido, le contará alguna historia convincente para explicar su presencia, y se saldrá también con la suya. Hay algunos africanos capaces de hacer eso, mientras que otros no pueden dar un paso sin enredarse en los tabúes que rodean sus pies. Lo aprendí cuando Max trabajaba con ellos. Cuando Luke apareció en el marco de la puerta, me di cuenta de que no existe para mí de ningún modo cuando no le veo ni le oigo. Sólo existe cuando su voz suena en el otro extremo de la línea telefónica o cuando está en mi presencia como ahora, un joven sonriente y corpulento, al que la ropa parece irle justa. Y, sin embargo, me alegré de verle. Está ahí de una manera inmediata: es una de esas personas cuyas ropas se mueven audiblemente, tela contra tela, con el movimiento muscular, de cuya respiración una es agradablemente consciente, como el ronroneo de un gato en la habitación, y cuyo calor corporal deja huellas dactilares en su vaso. Entró pesadamente y bajé el pestillo de la cerradura.

—Estupendo, chica..., es estupendo volver a verte.
—Me cogió de inmediato por la parte superior de los brazos y dejó que sus manos se deslizaran hacia los codos, apretándome suavemente. Estuvimos así un momento, sonriendo, coqueteando.

—Y tú, me había olvidado de tu aspecto...

—Eh, qué es esto, qué tenemos aquí... ¿He estado fuera tanto tiempo?

Había encontrado una cana en mi cabello, y la arrancó.

—Tonterías, es la última moda. Lo hacen en la peluquería, y se llaman mechas...

Era un juego; con las palmas me dio un pequeño tirón ponderativo en los lados exteriores de los senos, como quien dice «¡Vaya!», y entramos en la sala de estar.

Se puso a hablar mientras iba de un lado a otro de la habitación, mirando, tocando aquí y allá, para establecer intimidad enseguida, para mostrar que estaba en casa; o leyendo los signos: quién había estado allí, qué clase de exigencias habían dejado su marca, cuál era el estado de mi vida expresado allí. Pude ver que —desde el punto de vista de la información— ignoraba las flores que, para mí, si entrara en una sala como ésta, habrían tenido algo que decir inmediatamente. Pero, por muy familiarizado que pueda estar con los adornos de las casas de los blancos, no está lo bastante acostumbrado para percibir la diferencia significativa entre un ramo de flores que una mujer como yo podría haber comprado en la esquina de una calle y un ramo caro de una floristería.

—Llegué el martes..., no, nos marchamos muy tarde, el miércoles, a primera hora de la mañana. El coche tuvo un problema...

—Naturalmente. —Sostenía la botella de coñac en una mano y la botella abierta de vino en la otra.

—Oh, cualquier cosa, coñac. Sí, se rompió la correa del ventilador y el compinche con el que estaba...

—¿Has venido con el camión? ¿Cómo está Reba?

—Muy bien, pero estos días se queda en casa y deja que yo me mueva por ahí. Ha tenido muchos problemas con su mujer... No sé, esa chica tropieza con las cosas sin darse cuenta. Es algo que tiene que ver con el equilibrio, pero el médico no lo encuentra. La verdad es que Reba me pidió que te lo preguntara.

—Bueno, yo no soy médico... Parece algo del oído medio.

—Sí, eso es, eso es lo que dice el médico, pero no oye muy bien...

Me eché a reír.

—Mira, no puede elegir... Simplemente, hay una cosa que se llama oído medio y si su función está trastornada puedes perder el equilibrio.

—Ya lo sé, pero ella dice que sólo tiene dos orejas...

—Quería que nos riéramos con la lógica africana.

Le serví un coñac, fui a la cocina, puse la carne al fuego y removí la ensalada con las manos, como hago siempre cuando nadie me ve.

Él me oyó trajinar en la cocina, y cuando salí con la bandeja y le vi con su ancha sonrisa, le pregunté:

—¿Qué ocurre ahora?

—Eso es lo que me gusta de las chicas blancas, que son tan eficientes. Todo se desliza sobre ruedas.

—La verdad es que estoy haciendo un esfuerzo especial —le dije, poniendo el pan, la ensalada y la mantequilla sobre la mesa.

—Te lo agradezco mucho.

Yo entraba y salía, y cada vez que volvía a la sala, allí estaba él, como un público que contemplara mi actuación. Luego cogió el mandril, divertido, según pude ver en su expresión, lleno de curiosidad, con la sensación de haber puesto la mano en mi vida...

—Así que has arreglado el mono, ¿eh? Siempre estás haciendo algo.

—Es de Bobo, mi hijo.

—Un juguete bonito para un chiquillo —dijo él, acariciando el pelaje con un dedo.

—Ya no es tan pequeño. Tal vez ya ha crecido demasiado para que le interese eso.

—Mujer, yo mismo podría jugar con un monito así.

No sé si es profesionalmente afable o si experimenta de veras la reacción vivaz e inmediata a su entorno que siempre muestra. A veces, cuando sus grandes ojos están quietos, atentos a lo que digo, hay en ellos un movimiento muy ligero que me revela que está pensando con rapidez, en su propio lenguaje, en otra cosa.

Sonriendo, mirándome con esa expresión burlona que me gusta bastante, me dijo:

—¿Por qué no te sientas y te relajas un poco?

Suele hablar al estilo de las películas americanas que ha visto, pero le sienta bien, del mismo modo que le sentaba bien la chaqueta de *tweed* demasiado peluda que llevaba. El delicioso olor de las cebollas cociendo con mantequilla fue en aumento mientras bailábamos. Le pregunté por las elecciones en Basutolandia, y a los dos nos alegró tomar bríos en un terreno neutral, por así decirlo. Luego pasamos a la posición de los refugiados sudafricanos que están allí. Empezó a quejarse de las restricciones que les imponía la administración británica, a la que se refería como «tus amigos ingleses», y yo protesté.

—¿Mis amigos? ¿Por qué lo dices?... Aunque me dan lástima esos pobres diablos, que han de tratar con un puñado de pendencieros refugiados políticos...

—Ajá, se entienden la mar de bien con el Gobierno sudafricano, no te preocupes...

—Sobre todo los tipos del PAC —repliqué. Habíamos alzado las voces y nos reímos.

—¡Zurrándose unos a otros entre discursos!

Pero bajo la risa, o usando la risa, él se desviaba del tema, que se relacionaba demasiado con sus visitas a Johannesburgo, y quizá podría llevarnos con excesiva rapidez a un punto al que habíamos de llegar cuando él lo juzgara conveniente. Sé que no viene a verme sin ningún motivo, que siempre hay un motivo, aunque una vez por lo menos (la última vez que vino) se marchó sin que yo averiguara qué era; en fin, algo debió de indicarle que no iba a conseguir lo que quería. El joven Luke no tiene un pelo de tonto.

Eran casi las diez cuando empezamos a cenar. La comida estaba muy caliente y suculenta, como nunca lo está cuando otra persona la sirve tras la puerta cerrada de la cocina. Mi invitado quería cerveza, pero se me había terminado, por lo que siguió con el coñac mientras yo tomaba el delicioso vino. Hace algunos años habría protestado, pero he llegado a adquirir un placer secreto, de solterona, por esas pequeñas avideces egoístas. (En mi piso, supongo, y Graham en su casa.) Cuando bajaba ese vino rojo oscuro, a la temperatura ambiente, áspero como leche fresca en el fondo de la lengua, pensé en lo que le dije cierta vez a Max —hace mucho tiempo, al principio—, ¿qué harías si muriera alguien a quien amas, cómo podrías seguir adelante? Siempre recordaré su respuesta:

—Bueno, al cabo de unas pocas horas tienes sed, y quieres de nuevo..., quieres un trago de agua...

La cena era excelente, como un banquete. Le dije al hombre de rostro negro y suave y ojos alargados, sentado ante mí:

—No sé si lo has leído en la prensa. Mi marido ha muerto.

En cuanto dije esto, el corazón empezó a latirme con mucha fuerza, como ocurre cuando uno dice al fin algo que retenía. Pero no había pensado en decirle nada a aquel visitante; la jornada había terminado, y no tenía conexión con la visita; la visita no tenía conexión con nada más en mi vida, tales visitas son como ese momento en que te despiertas por la noche, te pones a leer y a fumar y luego vuelves a dormirte... Carecen de contexto.

Él tenía la boca llena de comida. Me miró consternado, como si quisiera escupirla y sentí un apuro terrible.

—Dios mío, no lo sabía. ¿Cuándo ocurrió?

—Llevábamos mucho tiempo divorciados, ¿sabes? He tenido que encargarme yo sola de Bobo desde que era muy pequeño.

—El individuo de Ciudad del Cabo... ¿Era ése con el que estuviste casada? Leí sobre eso, pero...

—Sí, recibí un telegrama esta mañana temprano. No tenía noticias suyas desde hacía un año.

—Dios mío... —repetía él—. Mira, no lo sabía.

Seguí comiendo, a fin de obligarle a que lo hiciera él también, pero él siguió sentado, mirándome.

—Vaya por Dios, eso es una lástima. Entonces, ¿qué has hecho al saberlo, Liz, qué vas a hacer?

Notaba su mirada fija en mí mientras dormía, pinchando un trozo de carne con el tenedor, poniéndole encima unos anillos blandos de cebolla y llevándomelo a la boca. Cuando terminé el bocado, me recosté un poco en mi silla y le miré:

—No hay nada que hacer —Luke—. Fui a la escuela para decírselo a mi hijo.

—¿Y el funeral?

—Oh, eso será en Ciudad del Cabo. —Quería mostrarle de un modo concluyente, por así decirlo, los hechos de la vida.

—¿Así que no vas a ir? —Sin duda pensaba en un funeral familiar africano, con todas sus disputas y las

110

desavenencias olvidadas, y todos reunidos desde lugares distantes y dispares.

—No, no voy a ir.

—Pero fue tu marido —adujo él.

—Sí, claro, ya lo sé. Sin duda debió de ser el único para mí.

Nos miramos, juzgándonos mutuamente sin malicia. No pretendo saberlo todo sobre él, excepto lo que me revela su rostro inocente, calculador, guapo en su robustez, y él me interpreta por completo como una extraña, por culpa de las exigencias de la vida a la que pertenece.

Empezó a comer de nuevo, lentamente, y ambos seguimos comiendo, como si yo le hubiera persuadido a hacerlo.

—¿Qué crees que le impulsó a hacerlo? —me preguntó—. ¿Razones políticas? —Sabe, desde luego, que Max fue testigo del Estado en aquella ocasión.

—De haber sido uno de tus compinches, no habría tenido que hacerlo por sí mismo, ¿verdad? Alguien le habría clavado un cuchillo y lo habría arrojado al puerto.

—Liz, mujer, tómatelo con calma...

Acompañó sus palabras con una risotada, pero es cierto. Todo resulta mucho más sencillo si eres negro, incluso la manera de tratar tu culpabilidad. Los testigos del Estado africanos aparecen enmascarados en la sala de justicia, pero no pueden confiar en que durarán mucho tiempo.

—¿Crees que no pudo quitarse eso de la cabeza?

—No lo sé, Luke, de veras, no lo sé.

—Pero mujer, le conocías desde hace mucho, sabías la clase de persona que era, aunque no le hayas visto últimamente.

—No era la clase de persona que él creía ser.

—Ah, ya. —No quería arriesgarse a hablar mal de los muertos. Intenté consolarle:

—Hay personas que se suicidan porque no pueden soportar no vivir para siempre —sonreí con los labios hacia abajo, por si él creía que estaba hablando de una vida posterior en el cielo—. Quiero decir que no pueden aguantar las limitaciones de la época en que viven. Los santos y los mártires son de la misma clase.

—Ese pobre tipo... —se limitó a decir él, y tuve un atisbo de mí misma como otra mujer blanca que habla demasiado. Le ofrecí vino.

—No, seguiré con esto —me dijo, y llené mi propio vaso.

Pensé que también yo bebía demasiado, pero estaba de un talante sosegado, sobrio; nunca bebo cuando estoy de mal humor. Nos servimos más comida, un ir y venir de manos y platos sin ceremonias. Me estaba contando el proyecto de Reba de construir seis casas en régimen de feudo franco para africanos acomodados, alrededor de la capital de Basutolandia.

—Si Reba pudiera encontrar alguien que le apoyara, podría realmente seguir adelante. Puede obtener ladrillos y madera más baratos...

—¡Pero qué clase de casas construirá!

—No, están bien. Reba sabe lo que hace. ¿Conoces a este tipo, Basil Katz? Sí, ahora está aquí, haciendo dibujos y planos para Reba.

Yo no estaba interesada, y era fácil parecer comprensiva.

—¿No intervendrán las sociedades constructoras?

—No, mujer, claro que no, no lo harán por un negro. Es una vergüenza. Lo siento por Reba, porque está muy entusiasmado y sabe que puede conseguir el cemento, los ladrillos y la madera... baratos, realmente baratos. Y tiene la mano de obra... ¿sabes?, es bueno mostrarles a los basutos que proporcionas empleo..., es muy bueno.

—No creo que pueda ofrecer suficiente seguridad..., ¿cómo se dice?

—Colateral. Sí, eso es. Pero si fuese blanco, la historia sería diferente...

Al hablar de negocios adoptaba, quizá de un modo inconsciente, la postura que le parecía adecuada, la silla echada atrás y el cuerpo cómodamente repantigado.

—Con unos treinta mil rands, calculando un rédito del diez por ciento, o pongamos un ocho, puedes esperar un beneficio de casi tres mil, ¿te das cuenta?

—¿Pero hay alguien dispuesto a comprar casas así? ¿Tienen el dinero...? Quiero decir que parece un proyecto de economía sumergida.

—Lo tienen, lo tienen. Y Reba sabe cómo sacárselo. —Hablaba con el desdén del ciudadano hacia la gente del campo—. Reba está en contacto con los jefes, mujer. Deberías ver el ganado que tienen. ¡No son como los pobres diablos que viven en las montañas! Reba va allí, se sienta y bebe cerveza con ellos, y habla sin parar, les dice que cuando llegue la independencia, el nuevo Gobierno africano necesitará casas para los ministros y la gente, en la ciudad... Les habla por los codos...

Entonces me mostró la cháchara de Reba con los palurdos, hablando en lengua sotho, y observando, con un brillo en sus ojos alargados, mi risa. Me pregunté para qué hacía aquella representación, para qué había venido. Pero olvidé esto en seguida en cuanto le dije:

—Y eso es lo que haces en Johannesburgo, tratar de obtener dinero para las casas de los potentados. —Así le daba pie a que hablase.

Él miró el trozo de queso que acababa de coger, lo empujó con el cuchillo y se levantó, apartándose de la mesa. El cinturón le apretaba el vientre enfundado en la camisa blanca, y lo levantó, expandiendo el pecho con una honda inspiración. Cuando habló de nuevo lo hizo desde otra parte de su mente.

—No —dijo en voz baja, rígida, como si aquello no fuera asunto mío—. No, no se trata de las casas. Eso es..., eso es de Reba. —Hizo un ligero gesto giratorio con la mano.

—¿Cómo te ganas la vida, Luke? —Me acerqué a él y permanecí allí con los brazos cruzados. (Me había dicho que una vez fue vendedor de ropa interior femenina, en los barrios negros.).

Qué rostro tan singular, con aquellos ojos alveolados extraordinarios; daban ganas de tocar el globo del ojo para notar la suavidad de su superficie. Alzó el mentón en un gesto defensivo, pero no retiró su sonrisa, inocentemente flagrante. Sus ojos se velaron como si alguien hubiera echado el aliento en ellos. Aquella sonrisa era toda su respuesta.

—Comprendo; no eres la clase de persona a quien se le puede preguntar eso.

—Estoy con Reba, ya sabes... —farfulló, riendo.

—No, no..., ya sé qué estás muy ocupado, pero ¿cómo vives? ¿Tienes familia en alguna parte?

—No están conmigo. Viajo solo.

Se da por sentado que ambos conocemos la existencia de una esposa e hijos. Es un experto en la transmisión de lo que se podría denominar excusas sexuales: el cumplido de sugerir que le gustaría hacer el amor contigo, si el tiempo, el lugar y las circunstancias de las vidas respectivas fuesen diferentes. Supongo que ha descubierto que esto es muy aceptable por parte de las mujeres blancas que llegan a conocer a negros como él; se sienten agradablemente excitadas y, no obstante, seguras al mismo tiempo. Conmigo, mientras busca la tecla apropiada que pulsar, intenta esto, naturalmente, entre otras cosas. No puedo decirle así como así que tuve un amante negro hace años. Las puntas de sus de-

114

dos recorrieron mi oreja y descendieron hasta el cuello; una buena jugada, si él tuviera conciencia de ello... Me gusta sobre todo ese almohadillado rosado, casi translúcido, en la parte interior de las manos negras, que parecen contener la luz.

Me rodeó con sus brazos, y los míos rodearon su cintura cálida y maciza. Nos balanceamos suavemente. Le dije en broma:

—Supongo que te apoya el Partido Comunista...

Como todos los miembros del PAC, acusa al ANC de dejarse llevar cogido de las orejas, primero por Moscú y luego por Berlín.

—Eso es cierto, desde luego.

Nos separamos riendo y recorrimos la sala, él diciendo «Lo admito todo», «Lo confieso», y yo preparando las tazas de café. Se sentó precariamente en un taburete que era demasiado bajo para él, las piernas dobladas por las rodillas. Yo ocupé mi rincón en el sofá.

—Es agradable estar aquí —me dijo—, en esta habitación. He estado recorriendo esta sucia ciudad, de un lado a otro, desde el jueves, y ahora me encuentro en esta deliciosa sala. Caramba, recuerdo la primera noche..., tú con tu camisón, un poco rojo..., ¿era rojo, verdad? Rojo con un pequeño dibujo, aquí y allá... (mi bata de seda en rama que no suelo ponerme, porque no se puede lavar, pero que uso si alguien se presenta y no estoy vestida), pero llegaste a la puerta perfectamente serena, sin temer en absoluto a los dos negros desconocidos ante tu puerta.

¿Era dinero? Unas veces lo devuelve y otras no. No podía recordar si en aquel momento me debía algo.

—Conocía a Reba —le dije desde mi rincón en el sofá, para no ponerle las cosas demasiado fáciles—. Le había visto antes.

—Pero no sabías quién era. No le reconociste, me di cuenta. Y nos hicistes pasar cortésmente, de todos modos... y yo incluso te quité un poco de comida de tu cena... Liz... —Me reprochaba sonriente, zalamero, mi buen humor—. Lizzie...

Los diminutivos, usados de un modo incongruente, con una torpeza intencional y pintorescos, la forma de mi nombre como genérico aplicado a las chicas de cocina, lo convertían en una expresión cariñosa.

—Simplemente, no sabía qué más podía decir —repliqué con petulancia, y sorprendí de nuevo en el fondo de su mirada la comprensión de algo que ya no había formulado en palabras: le había alentado a confiar de nuevo en que yo sabría qué decir y, una vez más, aturdida, le daría lo que él deseaba de mí.

El se movió pesadamente en el taburete y alzó los ojos con un movimiento brusco de la cabeza, como si alguien le deslumbrara con una luz. Era una especie de pantomima de desesperación... en consideración a mí. Aspiró aire para hablar, lo exhaló antes de tiempo y dejó que sus manos expresaran el intento con un movimiento fláccido. Y no obstante, por detrás de la comedia que estaba representando, había para mí algo real de lo que él no era consciente... la impresión de aquel joven toro negro en la cacharrería blanca, con su bonita vajilla, su estantería de libros, sus chucherías ornamentales y la charla de sobremesa.

—Durante estos últimos días me he estrujado los sesos —me dijo—. Sí, llevo días pensando en ello, de la mañana a la noche, yendo de un lado a otro. Créeme, ha sido un tiempo... —Yo no decía nada, pero esperaba, y él recogió la indicación—. Mira, para poder mantener a alguien vivo, para cuidar de los muchachos... hay que pagar continuamente a los abogados... y ahora tenemos todos esos casos en la zona oriental de El Cabo...

Hice un gesto de asentimiento ante su mirada inquisitiva. Aquella semana habían acusado de sabotaje a veintiún miembros del PAC. Había una pequeña mención en el periódico, estos casos son muy numerosos, son gentes a las que detuvieron hace un año y sólo ahora empiezan a juzgarlas.

—¿Pero es que Defensa y Ayuda no proporciona abogados?

Siempre la ordenada mente blanca, acostumbrada a tratar el desastre a través de los canales profesionales adecuados.

Él alzó una mano como para decir que no fuera tan rápido.

—Lo hacen, lo hacen, hasta cierto punto, pero ya sabes cómo son las cosas, hay toda clase de obstáculos. Todo está convenido de antemano, investigado y aprobado. Y no tienes que preocuparte sólo por la defensa legal, sino que están también las familias.

Me miró un momento directamente, con calma, con aquellos ojos ovales de los que toda comunicación parecía deslizarse a raudales.

—Hay otros problemas.

Él no veía nada, mientras rápidamente aparecía un hecho bajo mi mirada.

—Últimamente sé muy pocas cosas —le dije—. He de creer lo que dicen los políticos: los barrios negros están en paz y el movimiento clandestino está desbaratado por el momento.

—Eso es cierto. Eso es todo lo que sabes, Liz, todo lo que necesitas saber.

Volvía a mostrarse halagador. Sabe que a los blancos nos gusta sentir que «tenemos razón», que confíen en nosotros, y que estamos lo bastante enterados para comprender una confidencia tácita.

—Recuerdas al coronel Gaisford, ¿verdad? —dijo de pronto, y me reí; estuve a punto de decir: «Dios mío, ese pobre viejo excéntrico», pero hice bien en retenerme, porque él prosiguió—: Era un hombre magnífico, uno de los mejores, un buen amigo nuestro, un auténtico amigo.

Era la clase de fraseología misionera que el coronel mismo habría empleado. El coronel Gaisford era un hombre cuya bondad se transformaba en ingenuidad en una situación cuyas realidades no comprendía. El año pasado lo encarcelaron, y él protestó con toda sinceridad diciendo que ignoraba que el dinero del fondo benéfico que administraba se utilizara para enviar gente fuera del país a fin de recibir adiestramiento militar. Pero vi que los sentimientos de Luke hacia el viejo, el hombre al que usaban sin la menor vergüenza, era verdadero, y aquellos cordiales epítetos eran los únicos que tenía para expresar un sentido de nobleza.

—No se puede sustituir a un hombre así, créeme. Desde entonces nos han ayudado algunas personas... —Mencionó delicadamente uno o dos nombres; y ahora que los había oído, tuve conciencia de que mi interlocutor me había atraído más hacia aquel asunto—, pero las cosas no han salido muy bien.

Era una manera curiosa de expresarlo. Uno de los hombres que había mencionado huyó del país; el otro, naturalmente, está bajo arresto domiciliario. De hecho, ésta era la verdadera dificultad a la que estaba llegando:

—Está bajo arresto domiciliario y le resulta prácticamente imposible entregar el dinero.

—¿Todavía entra dinero en el país?

No era un asunto a comentar simplemente porque sentía curiosidad, pero él me había llevado hasta aquel punto, y supongo que creía deberme algo.

—Sí, en efecto, el dinero sigue entrando, o por lo menos entraría si pudiéramos arreglar las cosas. Dios mío, Liz, si supieras lo que he intentado en los últimos días. Me he esforzado por resolverlo, pero dondequiera que vaya, de aquí para allá, siempre hay algún obstáculo...

—¡Es peligroso! ¿No crees que a estas alturas ya están informados de ti?

Él no respondió y se limitó a sonreír como para decir, festivamente, que no nos ocupáramos de ello. Si no hay alguien pisándole los talones, él nunca lo admitirá, y si lo hay... desde hace tiempo, tanto el perseguidor como el perseguido han aceptado el hecho de que seguirán juntos su rumbo.

—Además es una cosa muy simple, Liz —dijo entonces, como si yo pudiera disipar la estupidez y la renuencia de «aquí para allá»—. Se trata simplemente de encontrar a alguien que reciba en ocasiones dinero de ultramar, eso es todo lo que se requiere. ¿Conoces a alguien en cuya cuenta pudieran hacerse algunos asientos extra durante los próximos meses?

Ya estaba dicho. Me había cazado; como ese juego infantil en el que uno deja caer un pañuelo en tu espalda y, de repente, te ves «tocada»; no importa lo alerta que creas estar, porque sigues teniendo el pañuelo encima de ti.

Se produjo entonces un rápido forcejeo de nuestros ingenios.

—¡A quién diablos podría conocer! —exclamé, haciendo que pareciera algo ridículo.

—Algún amigo... —Si yo había retrocedido, él se había adelantado para enfrentarse a mí; volvía a tener aquella expresión, como si el sol incidiera en sus ojos, que estaban deslumbrados, pero no desviados.

—¿Pero qué amigo?

Sus grandes ojos absorbieron, obstruidos por anticipado, cualesquiera otros caminos que yo pudiera intentar. Esperó.

—No conozco a nadie... ¿Y qué me dices del coronel?

Cualquiera que recibiese ese dinero seguiría el mismo camino que el viejo Gaisford.

—No, eso ya no puede ocurrir, ahora tenemos informadores. —Lo aseguró con esa fatal seguridad que siempre dan los hombres como él—. Y no usaremos una cuenta durante más de seis meses aproximadamente, a partir de ahora.

Continuó mirándome, sonriendo a medias, satisfecho porque no tenía escapatoria.

—¡No estarás pensando en mí!

Era absurdo, pero él percibió ese absurdo como otro intento de evasión, y me hizo sentir como si ocultara algo con ello. ¿Pero qué? Es cierto que yo no recibo dinero del exterior, de hecho no tengo en el banco más que el pequeño margen —que con frecuencia disminuye tanto que tengo saldo negativo— entre el salario que ingreso a principios de mes y las facturas que pago al final. Él rió conmigo, por fin, pero vi que por debajo de la risa mantenía su propósito; la risa era un aparte.

—Vamos, vamos, Liz.

Le dije que debía de estar loco. No conocía a nadie en absoluto a quien pudiera pedir una cosa así, que hacía mucho tiempo que me había separado de esa clase de círculo..., una excusa sin sentido, pues ambos sabíamos que no habría acudido a mí, no habría podido hacerlo, de otro modo. Pero todo cuanto yo decía no tenía sentido. Lo que le decía realmente, y lo que él entendió, era que me asustaría hacer lo que me pedía, me asustaría incluso aunque conociera a «alguien», aunque tuviera alguna explicación factible del dinero que pasaba a engrosar de súbito mi cuenta corriente. Seguimos hablando en un nivel puramente práctico, y fue un juego que los dos comprendíamos, como el del coqueteo. El coqueteo es incluso parte de este otro juego; había un matiz de fondo sexual en sus halagos, en aquel modo de engatusarme, de enfrentarse conmigo, y estaba bien, era bastante honesto.

120

Le dije que pensaría en ello, que procuraría encontrar alguna sugerencia. Si podía pensar en alguien, quizá incluso sondearía a esa persona, a ver cómo respondía. Él me dio algunos detalles más:

—Permíteme que te instruya. —Le gusta este tipo de frases, y habló como si la persona en cuestión ya existiera.

Y mientras hablábamos, en mi interior crecía el pensamiento, casi como la tumescencia sexual, y como ésta —estaba nerviosa— quizá comunicando su tensión: estaba la cuenta bancaria de mi abuela. Sus dividendos siempre han llegado desde diversos lugares. Y desde hace más de un año, a fin de efectuar los pagos (para el asilo y otros gastos esporádicos) que no pueden depender de su poco fiable estado mental, he tenido poder notarial sobre su cuenta. Temía que Luke lo adivinara de algún modo, no el hecho en sí, sino la existencia de una posibilidad, de que realmente tenía algo que ocultar. Su mano, su joven y torpe presencia (allí para mi placer, podía pedirle que se marchara siempre que quisiera) se cernían sobre esa posibilidad. Y, al mismo tiempo, tenía la sensación de que de algún modo él había sabido desde el principio, durante toda la velada, que había una posibilidad, algún factor oculto, que él llegaría a hacerme admitir. Probablemente era la impresión que tienen los negros de que los blancos, que han ostentado el poder durante tanto tiempo, siempre retienen en alguna parte, aunque les hayan desheredado, algún recurso olvidado, una baratija familiar que procede de posesiones amontonadas durante generaciones.

—Aunque sólo fuera por seis meses... Dios mío, no sabes lo importante que sería para nosotros..., incluso unos pocos meses.

Seguimos hablando como si «alguien» inexistente al que yo nunca abordaría estuviera dispuesto a aceptar.

121

—Mira, no puedo prometerte nada —le dije varias veces—. Tal vez, bien mirado, puede que haya alguien cuyo nombre no se me ocurre ahora, pero lo dudo...

Y él se quedó en el margen de mis incertidumbres y excusas, echándoles la zarpa como un pájaro que arremete contra los mosquitos.

—Sería magnífico, mujer. ¡Tenemos las manos atadas, atadas! El dinero está en Londres, esperándonos, pero desde hace ocho meses, ¡ocho meses!, no hemos podido movernos. ¡Estamos atados de manos!

—Bien, averiguaré lo que pueda y te lo haré saber.

—¿Lo harás de veras?

Le dije que sí, que estaríamos en contacto; siempre decimos eso cuando viene. Significa que quizá dentro de un mes y medio, de tres meses, se presentará de nuevo, y entonces le diré que lo siento muchísimo, pero no he podido encontrar a nadie.

—¿Mañana por la noche? —me preguntó

—Ya es mañana —le dije, riendo por su impaciencia—. Dame una oportunidad. Tendré que pensar.

—Bien, entonces el martes o el miércoles —dijo en tono afectuoso y expectante—. Mira, tengo que regresar, no puedo quedarme por aquí demasiado tiempo..

—Siguió mirándome con un orgullo viril desenvuelto y admirativo, como si yo exhibiera alguna audacia especial que le encantara—. Será mejor que te deje dormir un poco.

Se acercó a mí y me tendió una mano para ayudarme a que me levantara. Yo tenía frío y me rodeé el cuerpo con los brazos.

—¿Qué harás ahora? —Miró de nuevo la sala—. ¿Telefonearás a tu amigo?

Le miré con una sonrisa.

—Hace rato que está durmiendo.

Hablamos quedamente en la puerta, y cuando la

abrí me despedí de él con una seña, sin hablar, debido a la luz que aún se veía a través de la puerta de vidrio del piso de enfrente. Las suelas de sus zapatos crujieron y tuve ganas de reír. Él sonrió y, con sólo el sentimiento correcto, ligero, me puso un instante la mano en el trasero, con el gesto de quien dice: «espera ahí».

Y así se ha ido, mi Orfeo con su chaqueta demasiado a la moda ha regresado a la bulliciosa compañía que le espera en la ciudad fuera de la ciudad. En cierta manera, debe de ser un alivio dejar atrás a la pálida Eurídice y sus mohosos secretos, su Averno asegurado por una póliza (Graham me ha hecho suscribir una póliza a todo riesgo). A esta hora de la noche, todos los objetos de la habitación me rodean como papeles que el viento ha alisado en un solar vacío. Remoloneo, pero ¿adónde puedo ir, a quién puedo acudir? Éste es el lugar que he preparado para mí. Sólo las flores, cuyos capullos se abren en el agua y que habrán muerto el lunes, respiran en la habitación. Pongo mi rostro entre ellas, entre esas campanillas frías como el éter, pero es un gesto semiteatral.

Incluso pensé que podría salir un poco, ir a uno de los clubs de Hillbrow donde es probable que encuentre conocidos un sábado por la noche. Lo hago algunas veces, cuando Graham se ha ido a casa. Me pongo el abrigo, me pinto un poco los labios y voy a uno de esos lugares ruidosos y oscuros en cuyo interior él nunca ha estado. Graham habla del «campamento blanco», pero en cierto modo tiene razón: ahí están todos los alemanes e italianos inmigrantes, buscando la vida callejera de Europa, y los jóvenes sudafricanos blancos con sus chicas, jugando a los bajos fondos, mientras fuera, en los callejones, las prostitutas negras y los travestís esperan a aquellos que van en serio. En algunos de estos lugares hay esbeltos jóvenes con guitarras, y todos cantan a coro *We Shall Overcome*, como si fuera *My Bonny Lies Over the Ocean*. Debería llevar a Graham ahí alguna vez, pero eso sería una intromisión en mi vida privada.

Lo he dejado todo en la habitación tal como estaba..., los anillos de cebolla congelándose en los platos, la servilleta que Luke tiró al suelo cuando se levantó de la mesa, el queso para que los ratones trepen en su busca, el mono en el sofá. Mañana, por media corona de propina, Samson lo limpiará todo y se llevará las sobras en una vieja lata de mermelada. Me embadurno el rostro de crema como hago cada noche, igual que un hombre limpia y engrasa cuidadosamente su revólver después de usarlo. Me tiendo en la cama, a oscuras, y mi cuerpo sigue la preparación ritual para el sueño: lado izquierdo con la pierna derecha hacia arriba; boca abajo con la cabeza a la izquierda; pierna izquierda hacia arriba, cabeza a la derecha, el peso lentamente apoyado en el lado derecho.

Quizá él ahora habla en la lengua que no entiendo, llena de exclamaciones y pausas para recalcar las frases, diciéndoles que ha encontrado a una mujer blanca que lo hará. Pero eso es una tontería, es imposible que tenga la menor idea de la cuenta bancaria de mi abuela. No está escrito en mi frente. Se ha ido. Dentro de tres o cuatro meses regresará, y será como si todo se hubiera resuelto. Los africanos tienen un tacto instintivo en estos asuntos. Sabe que todo lo que le he dicho acerca de que trataría de encontrar a alguien, lo de pedirle tiempo, etcétera, es sólo un modo de guardar las apariencias, para él y para mí, de decir que no. Lo sabe.

Tiene que saberlo bien. Y la próxima vez que quiera algo de mí, quizá otras cinco libras, o sólo una comida, no será oportuno sacar a relucir lo que me pidió la última vez.

Los faros de un coche que emprende la empinada cuesta para entrar en la calle envían una gran mariposa de luz pálida que se mueve lentamente por la habitación; me doy la vuelta para seguirla. Luego vuelve a haber oscuridad, pero otra luz, quizá una farola, arroja un segmento oscilante, salpicado, emborronado (¿la sombra de una rama de árbol?) como el reflejo de luz en el agua. Pero el agua es densa y oscura, bajo su propio peso, no hay luz ahí abajo. Sé que deben de haberle subido al recuperar la maleta llena de papeles; pero siempre estará ahí abajo, adonde eligió ir, donde tuvo su último pensamiento consciente. Max desapareció de la última edición, totalmente ocupada por los astronautas, que aún siguen ahí arriba, en algún lugar por encima de mi cabeza. La próxima vez, la luna.

Debería haberme quedado la primera página, con ilustraciones, para enviársela a Bobo. Debo recordarlo por la mañana.

No sé la hora que es. A menudo es posible saber, por el grado de oscuridad y silencio, si te has despertado en plena noche o hacia la madrugada. No puede ser mucho antes del alba, pues me fui tarde a la cama y tengo la impresión de haber salido de un largo sueño. Sin embargo, está completamente a oscuras y en silencio, capa sobre capa de sueño suspendidas en el edificio entre la tierra y la oscuridad abierta..., y ahora, muy lejos, oigo claramente el ruido de los enganches entre los vagones de un tren; los patios de ferrocarriles están a unos tres kilómetros de aquí, y uno nunca sabe que están tan cerca.

Desde que me he despertado, he estado pensando muy claramente. Es como si durante el sueño se hubiera depositado en mi mente un sedimento y, lo mismo que mi oído, todas mis facultades están perfectamente agudizadas. Si me moviera, la agitación podría producir un anublamiento, como la tormenta de nieve que se produce en la bola del pisapapeles de Bobo; pero también todos mis músculos están en perfecta tensión, y no tengo conciencia de la posición en que estoy tendida. Soy clara como un pez en una pecera iluminada, como su cápsula (¿plateada?) allá arriba en la noche vacía que se extiende todavía más allá del punto al que llega el color lila. «Del Pacífico al Atlántico en veinte minutos.» Hoy, cuando Max se ahogó, un hombre caminaba por el espacio.

—¿Por qué la luna?

Esta noche no hay luna, o de lo contrario la habitación no podría estar tan a oscuras.

¿No es el mismo viejo anhelo de inmortalidad, afín a todos nuestros deseos de transcender toda clase de límites humanos? La sensación de que si realizas una cosa así te aproximas al traspaso de nuestros límites de vida: nuestra muerte. Dominamos nuestro entorno a fin de estar vivos, pero éste es un dominio sólo sobre la duración de la vida humana, tanto si se mide por la media de setenta años como por su prolongación de unos años más —como en el caso de mi abuela— gracias a los avances de la medicina. Hemos aprendido la manera de permanecer con vida... hasta que llega el momento de morir.

Puedes hundirte en pos del amor o ascender en busca de la luna.

Pero si dominas algo fuera de nuestro entorno físico, ¿no es razonable creer que llegas más allá del hecho de la muerte? Si dominas ese más allá, como esos hombres que están ahí arriba, ¿no es eso lo más cerca que hemos estado jamás de dominar la muerte? ¿No parece la prefiguración, el símbolo de ese dominio?

Esos hombres de ahí arriba están vivos.

El mismo teatro de operaciones es significativo. Llamamos «cielo» a la nada que está por encima de nosotros, y así se convierte en el tejado de nuestro entorno, parte de nuestro ser terrestre y finito, testigo de ese momento constituido por ochenta y siete años o treinta y uno (él habría cumplido treinta y dos el mes próximo). Pero sabemos que esa «nada», más allá de la capa de nubes que veo desde un avión, esa envoltura de atmósfera más arriba de la cual otros se han remontado, esa «nada» es espacio, gemelo del tiempo, como dicen. Lo escucho en la voz de Graham: juntos representan, en la única concepción que somos capaces de formarnos de él, el infinito. Una infinidad nocturna, violácea.

Si ese hombre por encima de mi cabeza puede pasar del «cielo» al espacio, pasar de su estuche ideado y controlado por el hombre a un entorno más allá del humano, moverse por su propia voluntad en la vorágine a la que fue arrojado nuestro planeta y en la que su enfriamiento, la creación de vida y la emergencia del hombre y todas sus obras juntas ocupan (si intentamos pensar en ello desde el punto de vista temporal) un momento..., si puede hacer todo esto ¿puede realmente seguir siendo mortal? Si Dios es el principio de lo eterno, ¿no está él cerca de Dios esta noche? Más cerca que Max, que intentó el amor, y que está en el fondo del mar. Al fin y al cabo, las religiones enseñan que el reino de Dios, del espíritu, no es de este modo. La carne es de este mundo, la muerte es de este mundo, pero sólo mediante la muerte alcanzaremos la vida eterna. El espacio no es de este mundo tampoco, y sin embargo uno puede desplazarse por él en vida, no es necesario haber muerto para poder entrar en él. ¿Sería, pues, sorprendente la existencia de una profunda conexión en nuestro subconsciente entre la eternidad de Dios y la infinitud del espacio? De hecho, algunos científicos emprendieron la demostración de que éstas son una y la misma cosa, y casi todos creen que existe cierta identidad, por lo menos, entre los mitos religiosos y el impulso evolutivo hacia formas superiores de vida.

Lo que ocurre en el espacio es quizá la expresión espiritual de nuestro tiempo, y no lo reconocemos. La exploración espacial no es un «programa», sino la nueva religión. Fuera de la cápsula, allá arriba, fuera de este mundo de un modo como tú nunca podrás estar, hundido en el fondo del mar; fuera de este mundo en la infinitud, la eternidad. ¿Podría cualquier acto de adoración como los que hemos conocido durante dos mil años expresar con más vehemencia un anhelo de la vida en un más allá, el anhelo de Dios?

Eso es lo que hay ahí arriba, tras las cabriolas en el vacío de los astronautas, las hamburguesas deshidratadas y los análisis de sangre televisados. Y si se trata de la luna, ése es precisamente el motivo...

...no hay ninguna razón por la que Luke no haya de volver aquí.

Debo de haberme quedado dormida un momento; vuelvo en mí con el descenso rápido de un columpio hacia el suelo desde el límite de su semiarco.

El talonario de cheques está en el cajón superior de mi tocador, el de la izquierda, apenas a un metro de distancia. Me sería muy fácil utilizar mi poder notarial sobre la cuenta de mi abuela. Se trata simplemente de indagar (palabra de Graham) de qué manera exacta debería depositar en su cuenta cheques procedentes del extranjero. Hasta ahora, el procedimiento con las divisas extranjeras ha consistido en que si el dinero no pertenece al área de la libra esterlina, relleno un formulario indicando el origen y la naturaleza de los fondos: dividendos de las acciones de tal y cual empresa, etcétera. ¿Y si el dinero procede del área de la libra? ¿No tengo también entonces que declarar su origen? Naturalmente, en el impreso de depósito ordinario debe constar el nombre del pagador; eso es rutinario. Pero ¿y si el dinero se asienta en la cuenta por medio de un libramiento bancario? Recuerdo que hay otra clase de formulario a rellenar, ¿o quizá hay que declarar el origen de los fondos al dorso de la carta de transferencia?

Luego está la declaración del impuesto sobre la renta. ¿Cómo salvar ese escollo? Bueno, Luke debe de tener alguna idea al respecto, pues dijo que todo lo que se necesitaba era una cuenta bancaria. Desde luego. Mira lo que le ha ocurrido al coronel Gaisford.

Graham sabría exactamente cómo actuar con el banco y los de Hacienda, sabría con exactitud dónde y cómo podrían descubrirme. Pero ésta es una cosa que jamás podría pedirle a Graham; ya no voy a pedirle nada más. Fue él quien se las arregló con éxito para que me concedieran el pasaporte el año pasado, cuando me lo habían negado durante años. Graham ha definido los límites seguros de lo que una puede conseguir: «una mujer de tu posición».

Seguro que hay alguna cláusula contra la que chocaré, alguna disposición que no podré cumplir. Pero durante seis meses, aunque sólo sean seis meses, como ha dicho él..., ¿quién pensará en revisar la cuenta bancaria de una vieja? Mi abuela no puede vivir más que unos pocos meses; es como si la cuenta existiera únicamente para ese fin. Jamás podrían considerarla responsable de nada de lo que suceda. Pero está mi firma, naturalmente, el nombre Van Den Sandt. Sin embargo, cuando emprendan las investigaciones sobre el origen del dinero que entra en la cuenta y establezcan el vínculo con el destino del dinero pagado..., bien, ella puede haber muerto y es posible que la cuenta ya no se use con el mismo fin. Todo es imposible, si una calcula en el lado seguro.

¿Por qué diablos habría de hacer yo semejante cosa? Me parece que la respuesta es simplemente la cuenta bancaria. No puede explicarlo; pero ahí está la cuenta bancaria. Ésa es una razón bastante buena, como cuando Bobo solía responder a una pregunta sobre su comportamiento con dos sencillas palabras: «porque sí». Entonces, ¿voy a intervenir de nuevo en la política? Y en ese caso, ¿qué clase de política? Pero este tipo de cosas no merecen que una se moleste, son irrelevantes. La cuenta bancaria está ahí. Probablemente se utilizará con esta finalidad. La anciana me preguntó qué ocurría: pues bien, eso es lo que ha ocurrido. Luke sabe lo que quiere, y sabe de quién debe conseguirlo. Tiene razón, naturalmente. Una mujer blanca comprensiva no tiene nada que ofrecerle... excepto el acceso que mantiene en la buena y vieja Reserva de bancos y privilegios. Y, a cambio, él llega con el olor de los braseros en sus ropas. Oh, sí, y es muy posible que me haga el amor, la próxima vez o en alguna otra ocasión. Eso forma parte del trato. Es honesto, también, como su vanidad, sus mentiras, los préstamos que no devuelve: eso es todo lo que tiene para ofrecerme. Sería mejor que yo lo aceptara con agradecimiento, porque así no nos deberemos nada el uno al otro, cada uno habrá dado lo que tiene, y ninguno de los dos será culpable si uno tiene más que dar que el otro. Y, en cualquier caso, quizá lo deseo así. No lo sé. Quizá sería mejor que lo que hemos tenido... o conseguido. Ahora me conviene más. ¿Quién dice que no se le podría llamar amor? No puedes hacer más que dar lo que tienes.

El silencio es tan profundo que casi podría creer que oigo el deslizamiento de las estrellas en su ruta, un zumbido vibrante, infinitamente agudo, aquello que en otro tiempo llamaban «la música de las esferas». Probablemente es el paso de los americanos por ahí arriba, empeñados en su propia búsqueda, girando en el círculo más grande de todos los círculos trazados por el hombre.

He permanecido acostada y despierta durante largo tiempo. No hay ningún reloj en la habitación, desde que el reloj rojo de viaje que me regaló Bobo se estropeó, pero los latidos lentos y regulares de mi corazón me repiten, como un reloj: asustada, viva, asustada, viva, asustada, viva...

El último mundo burgués
—con una tirada de 8 000 ejemplares—
lo terminó de imprimir la
Dirección General de Publicaciones
del Consejo Nacional para la Cultura y las Artes
en los talleres de
Litográfica Electrónica, S.A. de C.V.
Calzada Ermita Iztapalapa No. 2 095-2 CP 09830
en octubre de 1990.